国家陆地生态系统定位观测研究站研究成果

中国陆地生态系统质量定位观测研究报告 2020

城市生态空间

国家林业和草原局科学技术司 ◎ 编著

中国林业出版社
China Forestry Publishing House

图书在版编目（CIP）数据

中国陆地生态系统质量定位观测研究报告. 2020. 城市生态空间／国家林业和草原局科学技术司编著. —北京：中国林业出版社，2021. 11
（国家陆地生态系统定位观测研究站研究成果）
ISBN 978-7-5219-1048-3

Ⅰ. ①中… Ⅱ. ①国… Ⅲ. ①陆地–生态系–观测–研究报告–中国–2020 ②城市环境–生态环境–观测–研究报告–中国–2020 Ⅳ. ①Q147

中国版本图书馆 CIP 数据核字（2021）第 222480 号

审图号：GS（2021）8678

责任编辑：何　鹏　徐梦欣

出版	中国林业出版社（100009　北京西城区刘海胡同 7 号）
	网址　http：//www. forestry. gov. cn/lycb. html　电话　010-83143542
发行	中国林业出版社
印刷	北京博海升彩色印刷有限公司
版次	2021 年 11 月第 1 版
印次	2021 年 11 月第 1 次印刷
开本	889mm×1194mm　1/16
印张	9
字数	150 千字
定价	96. 00 元

编委会

主　任　彭有冬

副主任　郝育军

编　委　厉建祝　刘韶辉　刘世荣　储富祥　费本华
　　　　宋红竹

—— 编写组 ——

主　编　王　成

副主编　孙振凯　潘勇军

编　者　王　俊　殷　杉　廖菊阳　裴男才　纪　平
　　　　陈步峰　肖以华　李　玫　阮　琳　韩玉洁
　　　　孙宁骁　史正军　徐华林　曾　伟　贾宝全
　　　　金佳莉　刘　康　李巧云　应苗苗　万　欣
　　　　王丽艳　陈本文　樊兰英　王　晶　王嘉楠
　　　　黄晓军　王凌羲　黄占明　王志高

编写说明

习近平总书记强调："绿水青山既是自然财富、生态财富，又是社会财富、经济财富。"那么，我国"绿水青山"的主体——陆地生态系统的状况怎么样、质量如何？需要我们用科学的方法，获取翔实的数据，进行认真地分析，才能对"绿水青山"这个自然财富、生态财富，作出准确、量化地评价。这就凸显出陆地生态系统野外观测站建设的重要性、必要性，凸显出生态站建设、管理、能力提升在我国生态文明建设中的基础地位、支撑作用。

党的十八大以来，党中央、国务院高度重视生态文明建设，把生态文明建设纳入"五位一体"总体布局，并将建设生态文明写入党章，作出了一系列重大决策部署。中共中央、国务院《关于加快推进生态文明建设的意见》明确要求，加强统计监测，加快推进对森林、湿地、沙化土地等的统计监测核算能力建设，健全覆盖所有资源环境要素的监测网络体系。

长期以来，我国各级林草主管部门始终高度重视陆地生态系统监测能力建设。20世纪50年代末，我国陆地生态系统野外监测站建设开始起步；1998年，国家林业局正式组建国家陆地生态系统定位观测研究站（以下简称"生态站"）；党的十八大以后，国家林业局（现为国家林业和草原局）持续加快生态站建设步伐，不断优化完善布局，目前已形成拥有202个（截至2019年年底）站点的大型定位观测研究网络，涵盖森林、草原、湿地、荒漠、城市、竹林六大类型，基本覆盖陆地生态系统主要类型和我国重点生态区域，成为我国林草科技创新体系的重要组成部分和基础支撑平台，在生态环境保护、生态服务功能评估、应对气候变化、国际履约等国家战略需求方面提供了重要科技支撑。

经过多年建设与发展，我国生态站布局日趋完善，监测能力持续提升，积累了大量长期定位观测数据。为准确评价我国陆地生态系统质量，推动林草事业高质量发展和现代化建设，我们以生态站长期定位观测数据为基础，结合有关数据，首次组织编写了国家陆地生态系统定位观测研究站系列研究报告。

本系列研究报告对我国陆地生态系统质量进行了综合分析研究，系统阐述了我国陆地生态系统定位观测研究概况、生态系统状况变化以及政策建议等。研究报告共分总论、森林、草原—东北地区、湿地、荒漠、城市生态空间、竹林—闽北地区 7 个分报告。

由于编纂时间仓促，不足之处，敬请各位专家、同行及广大读者批评指正。

丛书编委会
2021 年 8 月

序 一

　　陆地生态系统是地质环境与人类社会经济相互作用最直接、最显著的地球表层部分，通过其生境、物种、生物学状态、性质和生态过程所产生的物质及其所维持的良好生活环境为人类提供服务。我国幅员辽阔，陆地生态系统类型丰富，在保护生态安全，为人类提供生态系统服务方面发挥着不可替代的作用。但是，由于气候变化、土地利用变化、城市化等重要环境变化影响和改变着各类生态系统的结构与功能，进而影响到优良生态系统服务的供给和优质生态产品的价值实现。

　　1957 年，我赴苏联科学院森林研究所学习植物学理论与研究方法，当时把学习重点放在森林生态长期定位研究方法上，这对认识森林结构和功能的变化是一种必要的手段。森林是生物产量(木材和非木材产品)的生产者，只有阐明了它们的物质循环、能量转化过程及系统运行机制，以及森林生物之间、森林生物与环境之间的相互作用，才能使人们认识它们的重要性，使森林更好地造福人类的生存和生活环境。当时，这种定位站叫"森林生物地理群落定位研究站"，现在全世界都叫"森林生态系统定位研究站"。我在研究进修后就认定了建设定位站这一特殊措施，是十分必要的。1959 年回国后，我即根据研究需要，于 1960 年春与四川省林业科学研究所在川西米亚罗的亚高山针叶林区建立了我国林业系统第一个森林定位站，

1

开展了多学科综合性定位研究。

在各级林草主管部门和几代林草科技工作者的共同努力下，国家林业和草原局建设的中国陆地生态系统定位观测研究站网（CTERN）已成为我国林草科技创新体系的重要组成部分和基础支撑平台，在支持生态学基础研究和国家重大生态工程建设方面发挥了重要作用，解决了一批国家急需的生态建设、环境保护、可持续发展等方面的关键生态学问题，推动了我国生态与资源环境科学的融合发展。

国家林业和草原局科学技术司组织了一批年富力强的中青年专家，基于CTERN的长期定位观测数据，结合国家有关部门的专项调查和统计数据以及国内外的遥感和地理空间信息数据，开展了森林、湿地、荒漠、草原、城市、竹林六大类生态系统质量的综合评估研究，完成了《中国陆地生态系统质量定位观测研究报告（2020）》。

该系列研究报告介绍了生态站的基本情况和未来发展方向，初步总结了生态站在陆地生态系统方面的研究成果，阐述了中国陆地生态系统质量状态及生态服务功能变化，为准确掌握我国陆地生态状况和环境变化提供了重要数据支撑。由于我一直致力于生态站长期定位观测研究工作，非常高兴能看到生态站网首次出版系列研究报告，虽然该系列研究报告还有不足之处，我相信，通过广大林草科研人员持续不断地共同努力，生态站长期定位观测研究在回答人与自然如何和谐共生这个重要命题中将会发挥更大的作用。

中国科学院院士

2021 年 8 月

序 二

党的十九届五中全会通过的《中共中央关于制定国民经济和社会发展第十四个五年规划和二〇三五年远景目标的建议》提出了提升生态系统质量和稳定性的任务,对于促进人与自然和谐共生、建设美丽中国具有重大意义。建立覆盖全国和不同生态系统类型的观测研究站和生态系统观测研究网络,开展生态系统长期定位观测研究,积累长期连续的生态系统观测数据,是科学而客观评估生态系统质量变化及生态保护成效,提高生态系统稳定性的重要科技支撑手段。

林业生态定位研究始于 20 世纪 60 年代,1978 年,林业主管部门首次组织编制了《全国森林生态站发展规划草案》,在我国林业生态工程区、荒漠化地区等典型区域陆续建立了多个生态站。1992 年,林业部组织修订《规划草案》,成立了生态站工作专家组,提出了建设涵盖全国陆地的生态站联网观测构想。2003 年,正式成立"中国森林生态系统定位研究网络"。2008 年,国家林业局发布了《国家陆地生态系统定位观测研究网络中长期发展规划(2008—2020年)》,布局建立了森林、湿地、荒漠、城市、竹林生态站网络。2019 年又布局建立了草原生态站网络。经过 60 年的发展历程,我国生态站网建设方面取得了显著成效。到目前为止,国家林业和草原局生态站网已成为我国行业部门中最具有特色、站点数量最多、覆盖陆地生态区域最广的生态站网络体系,为服务国家战略决策、提升林草科学研究水平、监测林草重大生态工程效益、培养林草科研人才提供了重要支撑。

《中国陆地生态系统质量定位观测研究报告（2020）》是首次利用国家林业和草原局生态站网观测数据发布的系列研究报告。研究报告以生态站网长期定位观测数据为基础，从森林、草原、湿地、荒漠、城市、竹林 6 个方面对我国陆地生态系统质量的若干方面进行了分析研究，阐述了中国陆地生态系统质量状态及生态服务功能变化，为准确掌握我国陆地生态系统状况和环境变化提供了重要数据支撑，同时该报告也是基于生态站长期观测数据，开展联网综合研究应用的一次重要尝试，具有十分重要的意义。

党的十八大以来，以习近平同志为核心的党中央把生态文明建设纳入"五位一体"国家发展总体布局，作为关系中华民族永续发展的根本大计，提出了一系列新理念新思想新战略，林草事业进入了林业、草原、国家公园融合发展的新阶段。在新的历史时期，推动林草事业高质量发展，不但要增"量"，更要提"质"。生态站网通过长期定位观测研究，既能回答"量"有多少，也能回答"质"是如何变化。期待国家林业和草原局能够持续建设发展生态站网，不断提升生态站网的综合观测和研究能力，持续发布系列观测研究报告，为新时期我国生态文明建设做好优质服务。

中国科学院院士 于贵瑞

2021 年 8 月

前　言

　　城市森林、湿地、绿地等生态空间对形成良好人居环境和促进城市健康发展至关重要。2016 年国家林业局在森林、湿地、荒漠等 3 类生态站建设的基础上，将城市生态站作为一个单独类型进行建设，开启了对城市生态空间变化及其服务功能的长期定位观测研究。按照优先在全国城市群、省会级城市、区域重点城市布点原则，目前全国已经建立了上海、广州、重庆、西安等 18 个城市生态站。城市生态站主要研究城市森林、湿地、绿地等生态空间对城市环境的影响和对居民身心健康和社区发展的作用，为科学建设和使用城市森林、湿地等生态空间提供理论依据和技术支撑，为城市实现可持续发展和应对气候变化提供基于自然的解决方案。

　　本报告主要基于城市生态站所在城市的生态资源本底数据，结合近年来城市生态站的观测和相关部门调查统计数据，以及城市生态站团队的相关研究成果，综合分析城市森林、湿地、绿地等不同类型生态空间的观测指标变化，进行数据集成，综合评估城市生态站建设状况和服务功能，包括城市生态站的建设进展、观测成果和社会服务等，提出城市生态空间优化方案和植物选择、配置、管理的对策建议。为服务粤港澳大湾区国家战略，联合粤港澳大湾区的广州城市生态站、深圳城市生态站、珠江口城市群生态站、珠江三角洲森林生态站、广州南沙湿地红树林生态站、珠海淇澳岛红树林生物多样性监测项目和福田红树林保护区管理局，开展了粤港澳大湾区城市森林与人居环境的专项评估，为科学评估城市生态系统健康状况以及城市生态空间建设决策提供支撑。

本书编写组
2021 年 8 月

目　录

第一章 中国城市生态系统定位观测研究概况

第一节 站点布局持续优化

根据《国家陆地生态系统定位观测研究网络中长期发展规划(2008—2020年)(修编版)》要求,需科学规划布局城市生态站,服务我国城镇发展的实际需求,以国家森林城市为基础,优先在全国城市群、省会级城市、区域重点城市进行布点,构建覆盖全国的城市生态站网络。到2020年已批复建设的城市生态站数量达18个。

现有城市生态站中,以城市群为研究区域的城市生态站有2个,以单个省会级城市为研究区域的城市生态站有10个,以区域重点城市为研究区域的城市生态站有6个(附录、图1-1)。

图 1-1 城市生态站分布

从各省份及直辖市分布来看，全国有 15 个省、自治区、直辖市拥有城市生态站，具体为广东省最多，有 3 个城市生态站，其次是浙江省有 2 个，上海市、重庆市、海南省、河北省、河南省、湖南省、江苏省、江西省、宁夏回族自治区、山西省、陕西省、安徽省、新疆维吾尔自治区各 1 个，我国华北、东北、西北和西南各省份城市生态站建设还有待加强，尤其是省会城市以及京津冀城市群、长三角城市群的城市生态站建设。

第二节　监测体系日趋完善

生态站主要承担数据积累、监测评估、科学研究等 3 大类任务，其中开展长期定位观测并积累数据是生态站的首要基本任务。

城市生态站汇交数据主要有 3 个方面：①行政管理类，包括人员队伍与人才培养、生态站基本信息、项目及经费、成果、合作交流等；②实物资源，包括仪器设备资源、观测设施资源、基础设施资源、样品与标本资源等；③观测数据分为基本数据和自选数据，都包括森林资源观测指标、气象常规指标、大气环境观测指标、康养环境观测指标、游憩景观观测指标、水文与水质观测指标、土壤观测指标、植物群落观测指标等。观测数据是按照《城市生态系统定位观测指标体系》（LY/T 2990—2018）标准，对城市森林资源、气象、大气环境、游憩康养环境、水文与水质、土壤、植物群落等方面的观测指标进行长期连续观测，收集、保存并定期提供数据信息。

自 2017 年正式从"中国陆地生态系统定位观测研究站网"提交数据以来，城市生态站数据积累逐年丰富。行政管理类报表数量由 2017 年的 67 条增加到 2019 年的 148 条；实物资源类报表数量由 2017 年的 34 条增加到 2019 年的 100 条；观测数据方面，基本数据由 2017 年的 20 条增加到 2019 年的 169 条，自选数据由 2017 年的 2 条增加到 2019 年的 61 条(图 1-2)。

通过对 2019 年城市生态站观测数据的基本数据不同报表类型数量的统计，城市生态站各指标汇交数量较为均衡，汇交数量最多为 9 个(图 1-3)，如城市古树名木数据表、城市气象常规数据、城市群落组成结构和城市树木种类等。城市生态站各指标汇交数量偏低主要与城市生态站网建设时间晚有关。另一方面，数据汇交仍需加强监督和培训，类似城市

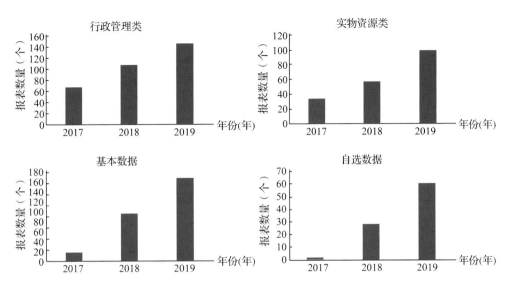

图 1-2　城市生态站 2017—2019 年数据汇交状况

树木种类、群落组成和结构数量、古树名木数量等不受建站进度影响，以及城市声强、空气质量、降水质量等可以与其他单位合作的数据，还需按时高质量汇交。

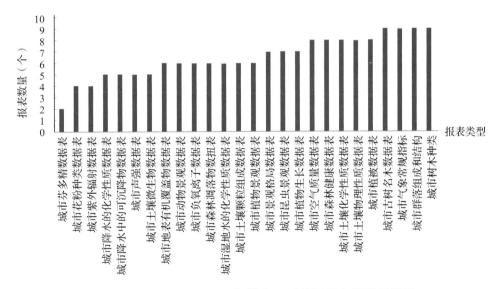

图 1-3　城市生态站 2019 年基本观测数据报表类型及数量

第二章 中国城市生态空间生态系统质量和稳定性

第一节 城市森林资源状况

城市生态站在延续传统不同类型城市森林样地尺度的观测研究基础上，把城市生态站所在的城市整体作为一个"超级大样地"，注重大数据收集与分析，关注城市地域尺度的生态空间状况与动态变化研究，逐步建立城市森林、湿地、绿地等生态空间的基础数据库，有利于后续开展全国城市间的趋势分析、对比分析，探索共性问题，服务国家城市和城市群的生态建设需求。

一、城市森林面积变化

在中国，越来越多的城市把森林、湿地、绿地等生态空间作为城市有生命的生态基础设施，坚持城乡一体、林水结合、生态网络等城市生态建设理念，特别是以森林城市和森林城市群为抓手，面向市域范围开展城市森林、湿地、绿地等生态空间的规划建设，使城市化地区的自然生态系统得到有效保护和恢复。目前全国已经有194个城市被授予"国家森林城市"称号，22个省份开展了省级森林城市创建。

在绿化资源数量方面，城市生态站所在的各个城市，城市森林资源丰富，长沙市、深圳市、杭州市、重庆市、广州市、西安市、郑州市和温州市的森林覆盖率均在30%以上，上海市、银川市、扬州市、太原市和南昌市受城市化程度、气候条件以及湿地资源等不同因素的影响，森林覆盖率较低（表2-1）。随着近年来绿化力度的增加，城市市域尺度的森林资源总量也在不断增加，如上海市2009年森林覆盖率为12.58%（图2-1），2015年森林覆盖率为15.03%（图2-2），至2020年森林覆盖率为18.49%（图2-

3）；太原市 2013 年森林覆盖率为 22.27%（图 2-4），2016 年为 23.10%（图 2-5），2019 年为 24.43%（图 2-6）。

表 2-1　典型城市生态站所在城市 2020 年森林绿地资源指标

城市	森林覆盖率（%）	绿化覆盖率（%）	人均公园绿地面积（平方米）
上海市	18.49	39.60	8.30
长沙市	55.00	43.73	12.00
银川市	20.00	40.15	16.79
扬州市	14.83	44.06	19.02
深圳市	40.21	45.10	14.94
杭州市	66.85	40.20	15.10
重庆市	43.11	40.17	17.47
太原市	24.17	43.38	12.78
广州市	42.30	45.10	17.30
西安市	48.00	38.75	9.98
郑州市	33.36	40.83	13.00
温州市	61.78	42.00	12.71
南昌市	23.00	42.00	12.00

图 2-1　上海市 2009 年森林资源分布

图 2-2　上海市 2015 年森林资源分布

图 2-3　上海市 2020 年森林资源分布

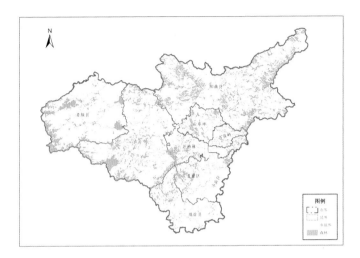

图 2-4　太原市 2013 年森林资源分布

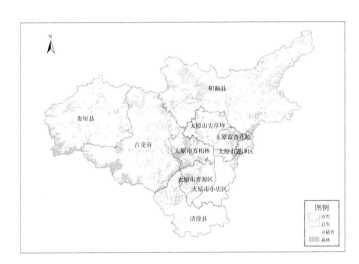

图 2-5　太原市 2016 年森林资源分布

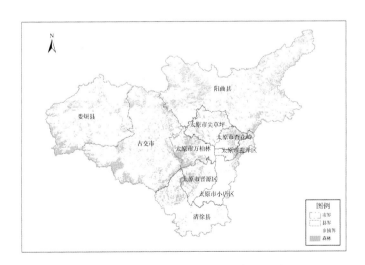

图 2-6　太原市 2019 年森林资源分布

在绿化资源服务能力方面，除上海市和西安市之外，其他城市站所在城市建成区人均公园绿地面积均达到 12.00 平方米以上，超出了《国家森林城市评价指标》（GB/T 37342—2019）要求。除了人均公园绿地指标之外，公园绿地 500 米服务半径对建成区的覆盖率，也是反映公园绿地服务能力的重要指标，通过分析得出未覆盖的公园绿地服务盲区，精准指导城市公园绿地建设。例如，深圳市是一座"千园之城"，2019 年拥有 1090 个城市公园，实现了市民出门 500 米可达社区公园，2 公里可达城市综合公园，5 公里可达自然公园的城市公园服务体系。

二、城市森林质量状况

（一）群落结构

城市森林年龄结构是森林经营管理措施的有效依据。根据森林资源调查数据分析，广州市各优势树种的林龄，中龄林面积最大，占 37.55%，幼龄林占 20.04%，过熟林面积最小，占 4.71%。

城市森林胸径结构是反映城市森林质量的重要指标。经实地调研测量统计，扬州地区树木总数量为 12195 万株，该地区森林树木胸径统计结果：胸径在 10 厘米左右的数量最多，为 1545 万株，占总数量的 12.67%；其次是胸径小于 5 厘米的幼小树种，数量为 1499 万株，占总数量的 12.29%；胸径大于 42 厘米的树种数量较少，占比 1.14%（图 2-7）。

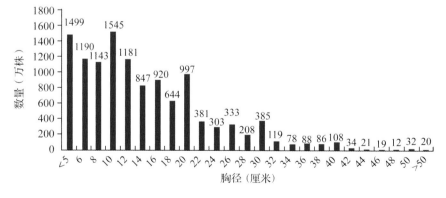

图 2-7 扬州地区森林植被胸径统计

（二）空间结构

森林斑块面积是其功能大小的有效体现，森林斑块面积和数量能够反映城市森林生态系统的完整性（王成等，2021）。例如，根据深圳市的实际情况，将斑块划分为小尺度（666.7～2000平方米）、中尺度（2000～10000平方米）、大尺度（10000～50000平方米）、特大尺度（>50000平方米）面积不等的四个等级。按此标准，深圳市2015年森林景观斑块总数量的36.5%属于面积小于1公顷的中小尺度斑块，而大尺度和特大尺度斑块在数量和面积比例上都较大，反映出深圳市城市森林整体性强，形成了以大斑块为主体、相对健康的城市森林生态系统（表2-2）。

表2-2　深圳市2015年森林景观不同等级尺度斑块面积和比例

尺度类型	面积范围（平方米）	数量（个）	个数比例（%）	面积比例（%）
小尺度	666.7～1000	303	1.85	0.026
	1000～2000	854	5.20	0.159
中尺度	2000～3000	896	5.45	0.272
	3000～5000	1440	8.77	0.7
	5000～10000	2501	15.23	2.234
大尺度	10000～20000	2440	14.85	4.285
	20000～30000	1950	11.87	4.053
	30000～50000	1485	9.04	7.167
特大尺度	50000～100000	1915	11.66	16.922
	>100000	2642	16.08	64.183
合计		16426	100	100

（三）分布格局

中国城市生态空间建设的一个显著特点是面向市域范围开展近自然林为主的森林生态系统保护与恢复，既注重增加生态空间总量，更注重优化生态空间布局。以北京为例，自2012年以来通过实施两轮百万亩造林工程、留白增绿等一系列造林绿化工程，丰富了平原区森林景观，改变了过去"有绿色、缺景色"的景观单一问题，将过去平原区"一树独大"的杨树林所占比例由2010年的63.00%下降到2014年的43.00%；使平原地区的森林覆盖率从2011年的14.85%提高到2015年的25.00%，净增10.15个百分点，其中北京城市发展新区的森林覆盖率增加12.13%，扭转了生态空间"远处多、身边少"的局面（王成等，2021）；到2020年平原森林面积达245万亩，森林覆盖率达到30.40%，形成万亩以上绿色斑块30处、千亩以上240处，改变了平原区"林带多、片林少"的资源结构，提升了平原区森林资源质量（图2-8）。

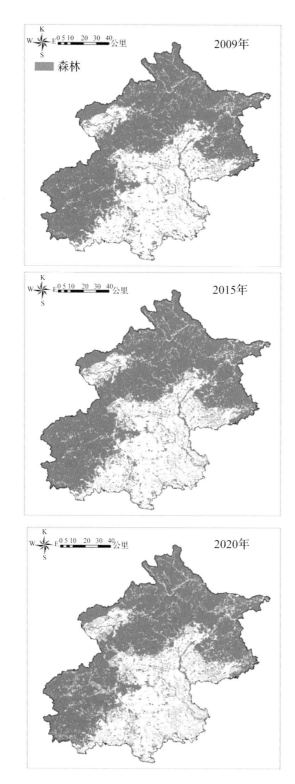

图 2-8　北京市森林资源 2009 年、2015 年与 2020 年变化对比

（四）风貌特色

根据森林资源调查数据分析城市森林优势树种结构，在一定程度上可以反映城市森林树种丰富度。例如，广州城市森林的树种构成相对较为丰富，各优势树种构成相对比较均衡，其他软阔类树种所占比例最高，达20.27%。其次是经济林，如荔枝（*Litchi chinensis*）、龙眼（*Dimocarpus longan*）和其他经济林种，占14.85%；桉树（*Eucalyptus robusta*）、其他硬阔树种、阔叶混交林及针阔混交林所占比例较高。从优势树种结构来看，树种结构比较合理，城市森林树种类型具有典型的岭南特色（图2-9）。

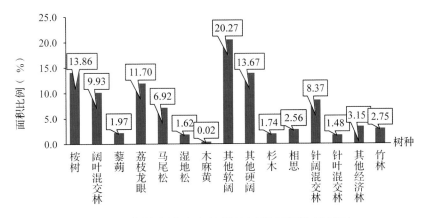

图 2-9　广州市城市森林优势树种面积比例示意

而根据实地调查得到的城市森林树种丰富度更为详实，可以指导当地的城市森林建设和管理。根据调查，西安市乡土树种41科81属141种（含变种和栽培种），其中园林绿化植物105种。槐树（*Sophora japonica*）、悬铃木（*Platanus orientalis*）、银杏（*Ginkgo biloba*）、白皮松（*Pinus bungeana*）、独杆石楠（*Photinia serrulata*）为西安市基调树种。常绿树种雪松（*Cedrus deodara*）、油松（*Pinus tabuliformis*）、广玉兰（*Magnolia grandiflora*）、枇杷（*Eriobotrya japonica*）、大叶女贞（*Ligustrum compactum*）、桂花（*Osmanthus fragrans*）等，落叶树种垂柳（*Salix babylonica*）、胡桃（*Juglans regia*）、枫杨（*Pterocarya stenoptera*）、杜仲（*Eucommia ulmoides*）、皂荚（*Gleditsia sinensis*）、元宝枫（*Acer truncatum*）、七叶树（*Aesculus chinensis*）、栾树（*Koelreuteria paniculata*）、白蜡（*Fraxinus chinensis*）、楸树（*Catalpa bungei*）等为绿化骨干树种。华山松（*Pinus armandii*）、樟子松（*Pinus sylvestris*）、柳杉（*Cryptomeria fortunei*）、龙柏（*Sabina chinensis*）、侧柏（*Platycla-*

dus orientalis）等近百个树种作为西安市绿化的一般树种。上海城市森林群落中一般常见乔木约 68 种，小乔木及灌木约 105 种，主要常绿阔叶树种有樟木（*Cinnamomum camphora*）、大叶女贞、广玉兰等，主要落叶阔叶树种有意杨（*Populus euramevicana*‘I-214’）、银杏等，而主要落叶针叶树种则有水杉（*Metasequoia glyptostroboides*）、池杉（*Taxodium ascendens*）等。扬州城市绿化植物有 800 多种（品种），有 200 多种森林树种，城区绿化常见树木有 30 多种。扬州市确定银杏和柳树（*Salix babylonica*）为市树，琼花（*Viburnum macrocephalum*）为市花，2005 年 1 月又增补芍药（*Paeonia lactiflora*）为市花。目前市树、市花已在全市城乡造林绿化中得到广泛应用。

三、城市森林资源状况研究主要进展

以长沙、大连、南昌和深圳为例，探究城市绿色空间格局近 30 年来的时空演变规律及主要影响因素，以期为完善城市绿色空间相关理论与模型提供新数据支持，为城市绿色空间网络优化提供参考依据。以 30 米分辨率的 Landsat TM/ETM+合成影像为数据源，运用 NDVI 阈值技术把绿色空间分为 4 个类型，利用景观指数量化绿色空间的格局特征，并引入距离归一化指数（NDI）进行城乡梯度分析，而后使用 Mann-Kendall 趋势检测分别计算绿色空间格局在时间及城乡梯度上的单调变化趋势，接着运用时间动态弯曲法（DTW）来探究不同城市绿色空间格局时空变化轨迹的差异性，最后采用最大信息非参数勘探法（MINE）对影响绿色空间格局变化的主要因素进行相关性分析。1985—2011 年，长沙、大连和深圳的高密度植被面积比例平均增加 0.26%，平均斑块面积平均增加 0.11 公顷；而中等密度植被面积比例在这 3 个城市中平均下降 0.40%，中等密度植被的平均斑块面积在南昌和深圳都呈上升趋势，分别增加 0.15 公顷和 0.04 公顷，而在长沙和大连则分别减少 0.01 公顷和 0.08 公顷；低密度植被面积比例和平均斑块面积在长沙和南昌均呈增加趋势（图 2-10），其面积比例分别增加 0.12% 和 0.23%，平均斑块面积分别增加 0.04 公顷和 0.01 公顷，而在大连和深圳则均呈减少趋势，低密度植被面积比例分别减少 0.22% 和 0.62%，平均斑块面积分别减少 0.04 公顷和 0.06 公顷；高密度植被面积比例在长沙和南昌呈"∩"形城乡梯度轨迹；低密度植被面积比例在长沙与深圳呈单调下降轨迹，而大连和南昌呈"∪"形轨迹。绿色空间格局的

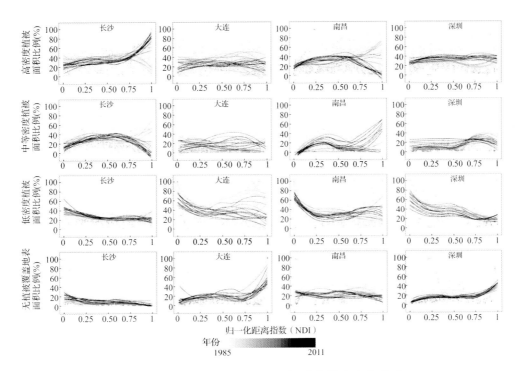

图2-10　城市绿色空间面积比例城乡梯度变化轨迹

时空变化与收入、人均国民生产总值、城市人口比例以及市区面积比例之间有极强的非线性相关(图2-11)。1985—2011年，长沙、大连和深圳高密度植被比例增加，其斑块空间分布更集中，而中等密度植被则相反；所选城市中，内陆城市的低密度植被比例增加，破碎度减少，而沿海城市则相反；绿色空间的城乡梯度轨迹主要呈3种规律，一是抛物线"∩/∪"形，二是平稳"—"形，三是递增或递减形；绿色空间在城市中心或城郊区域有显著的大幅变化趋势。

　　研究成果以"我国四个典型城市近30年绿色空间时空演变规律"为题发表在《林业科学》上。该研究得到了中央级公益性科研院所基本科研业务费专项（CAFYBB2019SY004）及林业公益性行业科研专项经费项目（201404301）的支持。

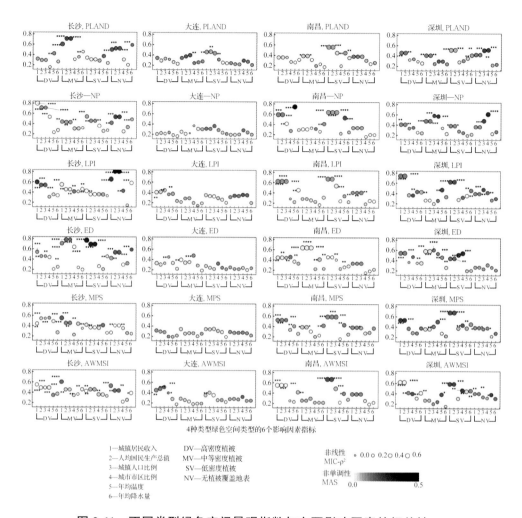

图 2-11　不同类型绿色空间景观指数与主要影响因素的相关性、
非线性及非单调性指数值

第二节　城市森林净化大气

目前共有 7 个城市生态站开展城市森林净化大气研究，分别是上海、广州、长株潭、杭州、西安、扬州、重庆城市生态站。其中上海城市站在上海市中山公园、外环林带金海湿地公园、崇明岛分别设置 3 个观测点开展本研究，形成中心城区—近郊—远郊梯度观测；广州站在白云山麓湖建设了空气质量监测站，长期在线监测城市绿地空气环境质量；长株潭站在湖南省森林植物园开展单点研究；杭州站在小和山高教园区和半山森林公园两处开展研究；西安站在清凉山森林公园开展单点研究；扬州站分别在荼荑湾风景区、瘦西湖风景区、瓜洲湿地公园开展城市森林大气环境监测的多点研究；重庆城市站分别在歌乐山和南山建有两个观测点，在此基础上研究。

一、不同地区常见植物滞纳细颗粒物能力研究

（一）植物滞纳颗粒物呈现季节性变化趋势

上海城市站选取当地常见绿化树种，研究其在夏、秋、冬三季 $PM_{2.5}$ 干沉降速率差异。研究发现植物叶片滞纳 $PM_{2.5}$ 能力秋季>冬季>夏季（图 2-12）。

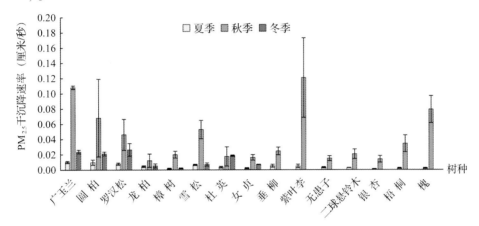

图 2-12　上海市不同树种不同季节 $PM_{2.5}$ 干沉降速率

西安城市站以清凉山森林公园为例，研究了常见绿化植物不同季节单位叶面积滞尘量。研究结果如图 2-13，表明春季植物滞尘能力相对较强。

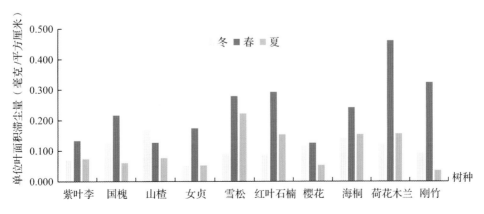

图 2-13　西安清凉山森林公园常见植物不同季节单位叶面积滞尘量

（二）不同植物滞纳颗粒物能力呈现差异

上海城市站研究发现，针叶树种的滞尘能力较好，而对于阔叶树种，紫叶李（*Prunus cerasifera* f. *atropurpurea*）、广玉兰以及国槐（*Sophora japonica*）的滞尘能力较强。因此，在上海以空气污染物为目标的生态治理，可多选用针叶树种和紫叶李、广玉兰。

广州城市站初步研究发现，相对于乔木，灌木和草本对颗粒物吸附作用更大，但这可能与颗粒物环境有关。

西安城市站以清凉山森林公园为例，研究发现广木兰、雪松、海桐（*Pittosporum tobira*）、红叶石楠（*Photinia fraseri*）、槐树滞尘能力较强。

二、时间尺度上不同地域空气质量状况研究

（一）上海城市站净化大气研究

1. 上海城市站不同观测点每日污染物浓度超标率研究

3 个观测点根据《环境空气质量标准》（GB 3095—2012）均应属于环境功能二类区，其 $PM_{2.5}$、PM_{10}、SO_2、NO_2 的日平均浓度以及 O_3 的日最大 8 小时滑动平均浓度限值分别为 75 微克/立方米、150 微克/立方米、150 微克/立方米、80 微克/立方米和 160 微克/立方米（图 2-14）。

总体来看，3 个观测点的颗粒物，尤其是 $PM_{2.5}$ 污染较其他污染物更严重，而中山公园 $PM_{2.5}$ 超标率最为严重，主要是因为中山公园位于市中心，周边车辆密度和人流量都较其余两处观测点更大；3 处观测点从市中心到远郊污染物超标率呈递减趋势。

3 个观测点 $PM_{2.5}$、PM_{10} 以及 NO_2 日均浓度在 2019 年春节假期间（2019 年 2 月 4~10 日）较之前日期显著下降，主要是因为春节期间没有早晚交通高峰，机动车带来的颗粒物和 NO_2 污染显著减少。

从昼夜变化规律来看，3 个观测点 $PM_{2.5}$、O_3、NO_2 浓度变化具有明显的时间分布规律，秋冬两季除了浓度数值差异外，同一污染物在同一林地内的变化趋势相同。中山公园 $PM_{2.5}$ 浓度变化呈现"三峰形"，崇明种片林与金海湿地公园 $PM_{2.5}$ 浓度呈"双峰形"。

中山公园和金海湿地公园在 O_3 与 NO_2 浓度变化表现上类似：NO_2 的浓度高峰出现在交通的早晚高峰；O_3 浓度高峰出现在中午 13:00~15:00，且 O_3 的白天浓度变化与 NO_2 浓度变化存在明显的时间序列相关性。崇明种种片林内秋冬两季 O_3 浓度变化与其余两地类似，但 NO_2 浓度变化幅度

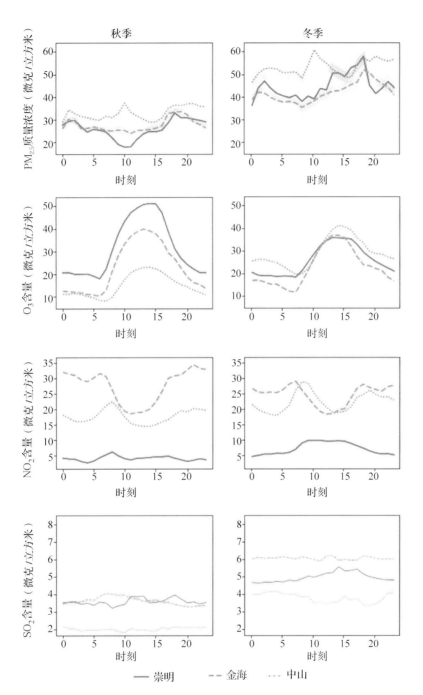

图 2-14　上海城市站 $PM_{2.5}$、O_3、NO_2、SO_2 24 小时浓度变化趋势

较小且冬季白天 NO_2 浓度呈现与其余两处林分相反的升高趋势。

　　3 处观测点 SO_2 浓度在数值上存在差异，24 小时浓度变化规律与其他污染物相比没有明显的和交通高峰相关的峰谷趋势，可能的原因是城市 SO_2 的主要污染源与其他污染物不同，城市 SO_2 主要来自燃煤发电厂或锅炉等工业活动。

（二）广州城市站净化大气研究

1. **广州市近5年大气污染物浓度分析**

广州市 2019 年 SO_2、NO_2、CO、O_3 平均浓度分别为 6.883 微克/立方米、42.973 微克/立方米、0.823 微克/立方米、53.993 微克/立方米，PM_{10} 和 $PM_{2.5}$ 浓度分别为 51.83 微克/立方米、29.073 微克/立方米，PM_{10} 和 $PM_{2.5}$ 浓度远低于全国平均水平（633 微克/立方米、363 微克/立方米，2019 年）。近 5 年来，SO_2、NO_2、CO、PM_{10}、$PM_{2.5}$ 浓度总体呈现下降趋势，年降幅分别为 -1.28 微克/立方米、-0.04 微克/立方米、-0.04 微克/立方米、-0.43 微克/立方米、-1.93 微克/立方米，而 O_3 是所有污染物中年平均浓度唯一呈上升趋势的污染物，年升幅为 2.92 微克/立方米，远远高于 2006—2015 年的年增长速率（0.86 微克/立方米）。

各污染物浓度变化具有明显的季节性效应，SO_2、NO_2、CO、PM_{10}、$PM_{2.5}$ 浓度在冬季（12、1、2 月）明显升高，尤其是 PM_{10}、$PM_{2.5}$ 及 NO_2 季节性因素影响达 10 倍以上，SO_2 和 CO 浓度也升高 20%~40%。5~9 月的季节性因素为负值，5 种污染物浓度相对较低。可能与气象要素（温度、降水量等）有很大关系，5~9 月，广州为雨季，降雨天有利于对大气污染物的清除作用，浓度相对较低。

O_3 表现出与其他污染物完全不同的季节性变化规律，从 11 月到第二年的 4 月，其季节性因素为负值，浓度相对较低；5 月及 8~10 月，O_3 浓度明显升高，表现为"夏高冬低"的季节变化特征，臭氧污染严重，短时暴露风险高。由于 O_3 是氮氧化物和非甲烷挥发性有机污染物在高辐射和高温下形成的二次污染物，导致 O_3 日变化最大值出现在 13：00~18：00，最高峰值出现在夏季月份。

2. **广州市大气污染物 ARIMA 模型预测及干预分析**

对广州市 2015—2019 年实现 ARIMA 最优指数模型的自动选取，对 2020 年 1~6 月的各污染物的浓度进行预测，SO_2、NO_2、CO、O_3、PM_{10}、$PM_{2.5}$ 各污染物 1~6 月平均浓度分别为 10.42 微克/立方米、49.32 微克/立方米、0.79 微克/立方米、45.2 微克/立方米、54 微克/立方米、32.88 微克/立方米（图 2-15）。各污染物 2020 年 1~6 月浓度模型预测的平均绝对百分误差（MAPE）在 5.25%~21.48%，残差平方和的平方根（RMSE）为 1.76~10.9，产生的误差较小，ARIMA 模型预测精度较高。

比较广州市新冠病毒疫情期间（2020 年 1~5 月）ARIMA 模型预测月均值与实际观测值发现（图 2-16）：SO_2、NO_2、CO、PM_{10}、$PM_{2.5}$ 污染物实际观测浓度值明显低于预测值，浓度分别下降约 65.1%、39.6%、5%、

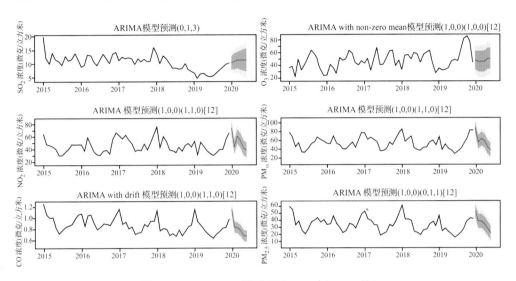

图 2-15　ARIMA 模型图（2020 年 1~6 月）

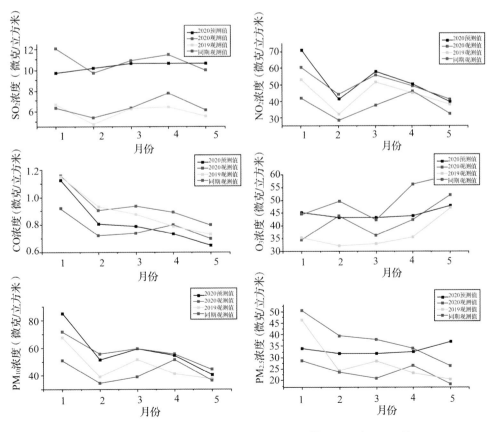

图 2-16　ARIMA 模型预测值与观测值比较（2020 年 1~5 月）

36.8%、50.8%，远远超过前 5 年的降幅。与 2019 年同期相比，NO_2 下降 18.2%，CO 下降 15.1%，PM_{10} 下降 11.5%，$PM_{2.5}$ 下降 19.4%。与往年同期（5 年平均）相比，SO_2、NO_2、CO、PM_{10}、$PM_{2.5}$ 浓度分别下降约 72.7%、36.2%、20.7%、36.5%、59.1%。但 O_3 浓度呈现上升趋势，月均值为 49.7 微克/立方米，比预测值高 7.6%，比 2019 年同期升高 28.8%，比往年同期增长了 18.3%。空气质量监测结果与全国监测结果基本一致，与其他相关研究结果一致。

新冠病毒疫情对广州环境空气质量的影响基本从 2020 年 1 月 28 日开始到 4 月 10 日左右，期间 NO_2、CO、PM_{10} 和 $PM_{2.5}$ 浓度维持在较低水平，比 2019 年同期浓度水平低。从 4 月 10 日后，广州市新冠病毒疫情基本得到缓解，人们活动基本恢复正常，进而大气各污染物浓度显著升高，尤其是 PM_{10}、$PM_{2.5}$、SO_2 和 NO_2，远超过 2019 年同期，而后基本维持在与 2019 年同期差异不大的稳定水平。

新冠肺炎疫情造成的突发事件及政府干预措施对经济环境和经济过程会产生巨大影响，大幅降低了全球各大城市空气污染指数。社会隔离政策大幅度减少了公路和非公路运输及机构和商业建筑中燃烧产生的 PM 排放，进而降低了 NO_x 和 PM 浓度。但 NO_x 排放量减少，进而削弱了 NO 对 O_3 的滴定效应，又造成 O_3 污染增加。另外空气中 PM 的浓度降低，使得太阳辐射增加，促成 O_3 的产生。有研究发现人为源对大气中的污染气体的收支起到关键作用，要改善城市空气质量，必须从根本上改变和完善城市交通系统，人类活动对大气的影响程度依然是当今大气化学研究的重要内容。

（三）长株潭城市站净化大气研究

根据湖南省森林植物园 2019 年 11 月对空气污染物监测数据看出，湖南省森林植物园林内 O_3 浓度在 7~9 月浓度均高，2019 年 1 月、2019 年 12 月浓度较低；NO_2 浓度在 2019 年 10~12 月浓度均高，6~7 月浓度较低；NO 浓度在 11~12 月浓度均高，6~8 月浓度较低；SO_2 浓度 11~12 月浓度均高，2019 年 1 月值较低（图 2-17）。

季节性规律研究表明，林内 O_3 在四季浓度最高，其次是 NO_2、SO_2 浓度，NO 浓度最低；O_3 浓度秋季>冬季>夏季>春季，NO_2、NO 浓度冬季>夏季>春季。SO_2 浓度冬季>夏季>秋季>春季；根据湖南省森林植物园空气污染物季节变化情况可知，O_3 在秋季与 NO_2、NO、SO_2 呈现相反的季节

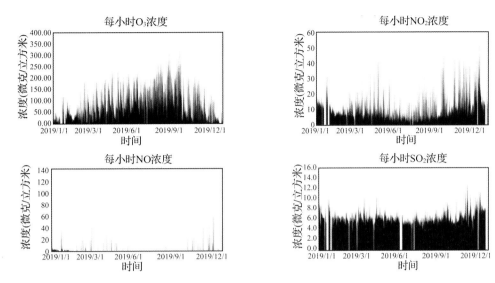

图 2-17　湖南省森林植物园内空气污染物小时变化

变化趋势，秋季太阳光照强有利于形成臭氧，加上湖南省特殊自然气候，长时间降雨稀释了林内空气污染物浓度，同时增加了植物叶表面颗粒物的洗淋作用。

(四)杭州城市站净化大气研究

杭州市 2015 年 11 月至 2016 年 10 月期间，不同季节大气颗粒物 $PM_{2.5}$ 和 PM_{10} 质量浓度波动随季节变化比较明显。颗粒物 $PM_{2.5}$ 四季浓度分别为 76.68 ± 66.76、28.92 ± 13.51、46.70 ± 45.76、104.35 ± 99.86 微克/立方米，冬春季节明显高于夏秋季节，且最高峰浓度出现在冬季；颗粒物 PM_{10} 在春夏秋冬四季的浓度为 148.58 ± 78.72、79.00 ± 27.52、147.23 ± 92.17、274.39 ± 160.92 微克/立方米，夏季浓度最低，冬季污染物急剧增高。

杭州市 $PM_{2.5}$ 和 PM_{10} 浓度逐月变化趋势如图 2-18 所示，颗粒物 $PM_{2.5}$、PM_{10} 的变化趋势与总悬浮颗粒物 TSP 基本吻合。其中 $PM_{2.5}$ 浓度在 12 月出现最大值 204.22 微克/立方米，为重度污染；最小值出现在 9 月为 18.19 微克/立方米。结合 2016 年实施的《空气质量标准》(GB 3095—2012)，11 月和 4 月出现轻度污染，质量浓度分别为 92.46 和 143.55 微克/立方米；1 月和 3 月为良，质量浓度分别为 61.85 和 56.09 微克/立方米；5~10 月的空气质量为优秀，其质量浓度均小于 32 微克/立方米。全年的均值 64.19 微克/立方米，属于二级良水平。PM_{10} 年均质量浓度为 162.30 微克/立方米，最高值为 12 月的 573.44 微克/立方米，最低值为 9

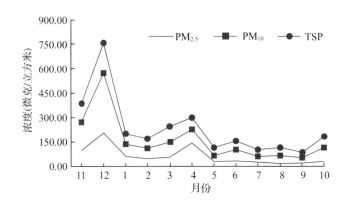

图 2-18　杭州市 $PM_{2.5}$ 和 PM_{10} 质量浓度月变化

月的 56.06 微克/立方米，其年浓度变化与 $PM_{2.5}$ 相似，除 11~12 月的变化趋势与 $PM_{2.5}$ 相反，其他月份基本呈现相同的变化规律，这说明 $PM_{2.5}$ 和 PM_{10} 在污染物来源和成分上有一定的同源性。

颗粒物 $PM_{2.5}$、PM_{10} 浓度大小除与交通、工业和生活排放有关联外，还受气象因素及人为活动的影响。各季节 $PM_{2.5}$、PM_{10} 质量浓度日变化情况如图 2-19 所示。

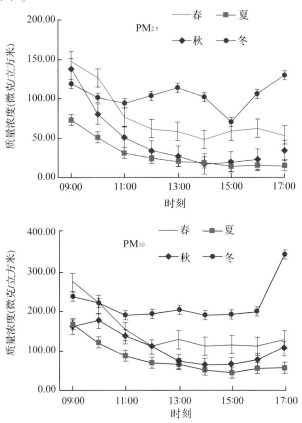

图 2-19　不同季节 $PM_{2.5}$ 和 PM_{10} 日变化

监测结果表明，春、夏、秋季的$PM_{2.5}$、PM_{10}质量浓度最高峰都出现在9:00。春季观测时段内，$PM_{2.5}$、PM_{10}质量浓度从9:00的峰值逐渐下降，$PM_{2.5}$质量浓度在15:00~16:00出现平缓上升，这是由于晚高峰期间的车辆尾气贡献增大，PM_{10}的质量浓度在16:00~17:00出现急剧上升，这是由车辆、人流等活动造成的空气中粉尘的扰动，和城市局部空气扩散不及时造成的。

（五）扬州城市站净化大气研究

扬州城市站选取2019年11月至2020年10月的$PM_{2.5}$浓度数据进行分析，研究该城市森林内$PM_{2.5}$浓度日变化和季度变化特征。

从图2-20中可以看出，城市森林内$PM_{2.5}$浓度的日变化呈波浪形变化特征，日变化幅度较大，呈现出两个高峰及两个低峰。一个高峰出现在上午9:00~10:00，另一个高峰出现在夜间22:00~23:00，全天平均最高$PM_{2.5}$浓度值出现在上午9:00，均值为70.43微克/立方米；傍晚17:00~18:00和凌晨2:00~3:00 $PM_{2.5}$浓度则相对较低，凌晨2:00浓度最低，均值为33.10微克/立方米。

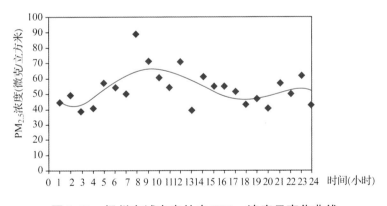

图2-20 扬州市城市森林内$PM_{2.5}$浓度日变化曲线

根据气候学上的分类，扬州3~5月为春季，6~8月为夏季，9~11月为秋季，12月至翌年2月为冬季。不同季节由于受污染源排放量及气象因素的影响，大气颗粒物浓度水平表现出季节特征。研究结果表明，城市森林内$PM_{2.5}$浓度春季最高，平均值为82.42微克/立方米；夏、秋季次之；冬季最低，平均值为23.27微克/立方米。

(六)西安净化大气研究

通过对西安市 2013—2017 年 $PM_{2.5}$、PM_{10} 质量浓度数据的分析发现：西安市空气颗粒物的（$PM_{2.5}$、PM_{10}）的质量浓度呈现冬季高、夏季低的一般变化规律，且整体上呈现下降趋势（图 2-21）。

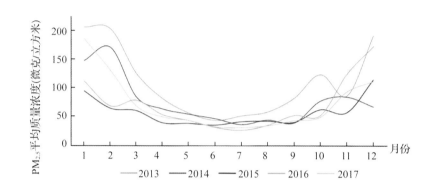

图 2-21　西安市空气 $PM_{2.5}$ 质量浓度变化情况

通过对西安市 2013—2015 年遥感影像数据解译和分析发现：在研究时段（2013—2015）内，不论是夏季还是冬季，研究区的植被覆盖度（VFC）发生了明显的变化，且整体上呈现逐年显著增加的趋势。此外，研究区的植被覆盖除面积增加外，整体构造也发生改善。植被覆盖类型的面积发生转变的区域集中在灞桥区、未央区、雁塔区和长安区，耕地类型向其他类型转变最多。

通过对城市各环境监测点 $PM_{2.5}$、PM_{10} 数据与植被覆盖类型和植被覆盖度的相关性分析发现：各监测站点的 $PM_{2.5}$ 浓度与以 2 公里为半径作缓存区的林地面积显著负相关，相关系数为-0.81。

对研究区月平均植被覆盖度和 $PM_{2.5}$ 月平均质量浓度的相关性分析发现：研究区 $PM_{2.5}$ 的月平均质量浓度与月平均植被覆盖度存在显著的负相关性，$PM_{2.5}$ 的月平均质量浓度受植被覆盖度影响很大，植被覆盖度值越大，$PM_{2.5}$ 浓度越低，即植被覆盖度越高，$PM_{2.5}$ 浓度越低。该研究结果为通过城市森林建设对大气中 $PM_{2.5}$ 污染进行治理提供了一定的依据。

2013 年 $PM_{2.5}$ 质量浓度与植被覆盖率之间的回归方程：

$$y = -545.65x + 328.09$$

2015 年 $PM_{2.5}$ 质量浓度与植被覆盖率之间的回归方程：

$$y = - 113.47x + 132.71$$

式中：y 为 $PM_{2.5}$ 月平均质量浓度，x 为相应月份平均植被覆盖度。

利用上述回归模型得出的预测值与实际观测值高度拟合（图 2-22）。

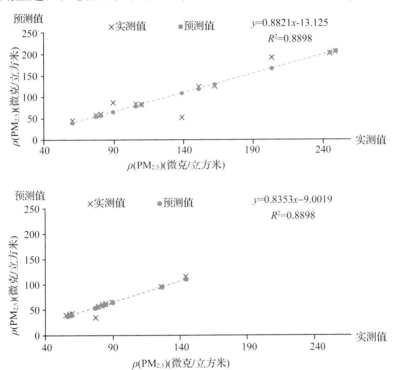

图 2-22　2013 年（上）和 2015 年（下）西安市 $PM_{2.5}$ 实测值与预测值关系

三、城市森林净化大气研究主要进展

（一）研发了一种间接式测量植物叶片 $PM_{2.5}$ 干沉降速率的方法

城市的植被对 $PM_{2.5}$ 有着吸纳、阻滞和沉降的功能，对提升城市空气质量、改善城市生态环境有着重要的意义（Wang et al.，2015）。然而，植物叶片上 $PM_{2.5}$ 干沉降速率（V_d）的测定方法还存在着诸多不确定性，影响了研究的可靠性（Calderón-Garcidueñas et al.，2015）。依托上海城市站的观测及研究方向，研发一种全新的间接式测定 $PM_{2.5}$ 在植物叶片上干沉降速率的方法：使用了一个封闭系统（气溶胶烟雾箱），用指数衰减模型分别测定了烟雾箱内挂叶和空箱无叶条件下 $PM_{2.5}$ 浓度的自沉降过程，通过数据拟合后得到的两条沉降曲线，利用微分的方法推导并计算 V_d 值，并进一步通过数据分析确定了实验条件如初始浓度、持续时间和时间间隔（Δt）。理论推导结果表明，V_d 的计算公式可仅由测定的衰减速率常数 k 和叶面积 LA 决定，利用函数模型模拟的方法可避免单一测量误差造成的结果不准确。本研究建立的 V_d 的间接测定方法是一种更便宜、更简便的测定方法，可为通过室内可控实验来获得 V_d 提供一种新的思路。

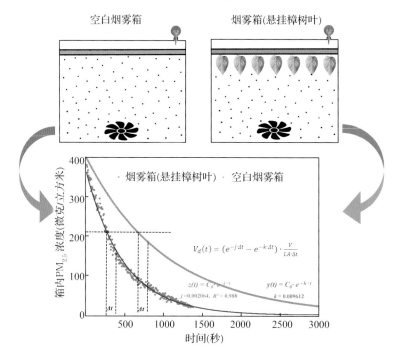

图 2-23　间接式测量植物叶片 PM$_{2.5}$ 示意图

注：研究成果以《Determining PM$_{2.5}$ dry deposition velocity on plant leaves: An indirect experimental method》为题发表在《Urban Forestry & Urban Greening》上，并获得了国家发明专利授权"一种间接测定法测定植物叶片表面 PM$_{2.5}$ 干沉降速率理论值的方法"（授权号：ZL. 201610778451. 7）。文献链接：https://doi.org/10.1016/j.envpol.2019.113611。

（二）首次阐明"凝并作用"是植物叶片去除大气颗粒物的重要机制

大气中亚微米颗粒物（$d<1$ 微米）由于难以从空气中去除，严重威胁人类健康，受到广泛关注（Shi et al.，2018；Voliotis et al.，2018；Jänhall，2015）。城市绿化树种消减颗粒物，是缓解城市大气污染的有效途径之一（Samek et al.，2018；Hofman et al.，2013）。然而目前该领域对滞尘量的研究较多（Chen et al.，2016；Hofman et al.，2016；Leonard et al.，2016；Giardina et al.，2019），极少关注滞留过程中颗粒物在大气—叶片界面上的变化。上海城市站的研究人员首次提出了空气亚微米颗粒在叶片上的"凝并效应"，并采用扫脱再悬浮法和 X 射线显微镜对两种典型亚热带阔叶植物

对亚微米颗粒的凝并效应进行了测量。结果显示，亚微米颗粒物从大气迁移到叶片表面的过程中，粒径显著增长，发生了凝并效应：平均粒径从发射时的0.48微米，增大至叶面上的3.40微米左右，亚微米颗粒物数量占比从95%下降至不足20%（图2-24）。两种方法的测定结果无显著差异，其中扫脱再悬浮法操作方便、数据易获取、成本低，可普遍应用在凝并效应的测定中。基于此，本研究首次阐明"凝并效应"是植物叶片去除颗粒物的重要机制。在颗粒物去除过程中，凝并效应和干沉降实际上是同时发生并相互作用的两个步骤。这一发现加深了对颗粒去除过程的理解，为进一步研究影响混凝的因素奠定了基础，为优化城市树种选择和植物配置提供了依据。

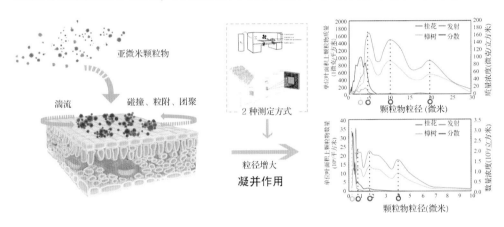

图 2-24 植物叶片颗粒物凝并效应示意图

注：研究成果《Coagulation effect of aero submicron particles on plant leaves：Measuring methods and potential mechanisms》发表在环境领域顶级期刊《Environmental Pollution》上，并获得了国家发明专利授权"植物叶片上亚微米颗粒物凝并效率测定方法、系统及介质"（授权号：ZL201910533658.1）。文献链接：https：//doi. org/10. 1016/j. envpol. 2019. 113611。

(三)证实城市中更多的绿色基础设施可缓解大气污染的作用

大气污染是世界各国面临的最严峻的环境问题之一（Froger et al.，2019；Zhang et al.，2019）。目前，倡导通过合理城市布局，优化产业结构的方式来缓解大气污染已是老生常谈（De Nicola et al.，2017；Yu et al.，2019）。然而实际中，对土地利用规划布局对于大气污染的调控作用还一直存有争议。比如，我们在城市中建了那么多绿色基础设施（绿地、林地、水体等），是否能够起到缓解城市大气污染的作用呢？基于此，上海站的研究人员在近期连续发文，以多环芳烃（PAHs）为典型污染物，对这一问题进行了深入探究（图2-25）。结果表明，城市中更多的绿色基础设施（林地、水体），真的能起到缓解大气污染的作用。在土地规划利用时，应充分考虑不同用地类型对 PAHs 排放的正负影响，规划合理距离，通过土地利用类型的组合，缓解城市 PAHs 的污染（田璐等，2018；田璐等，2020；Tian L et al.，2019；Yin S et al.，2020；Yin S et al.，2021）。

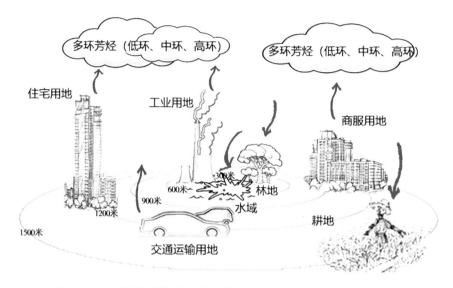

图 2-25　不同类型的城市生态空间对大气污染物的源汇分析

（四）研发了基于原位检测的植物异戊二烯释放速率测定方法

异戊二烯是一种重要的植物挥发性有机物（BVOCs），约占全球 BVOCs 释放总量的 44%，被认为是臭氧和二次气溶胶的重要来源（Iijima，2014；Ren et al.，2017）。封闭式采样—热脱附—气质联用（GC—MS）是目前广泛使用的异戊二烯检测方法，但存在分析周期长、步骤复杂、时间分辨率低、易产生系统误差等问题，影响测试结果的准确性和时效性。上海城市站的研究人员，通过封闭式采样法收集样品，并引入飞行时间质谱仪（TOF-MS）进行原位分析，建立了一种植物源异戊二烯的原位检测方法，并利用该方法测量了 5 种园林绿化植物异戊二烯的排放速率（图 2-26）。结果表明，垂柳的异戊二烯排放速率最高，在夏季可达到 14.94 微克/（克·小时），而香樟（*Cinnamomum camphora*）、大叶女贞、珊瑚树（*Viburnum odoratissimum*）排放速率都较低；植物释放异戊二烯的速率在不同季度间也存在差异，夏季释放速率高于其他季节，冬季释放速率最低。根据该方法与传统方法比较，两种测试结果没有显著差异。新方法可用于植物 BVOCs 排放的快速准确检测。

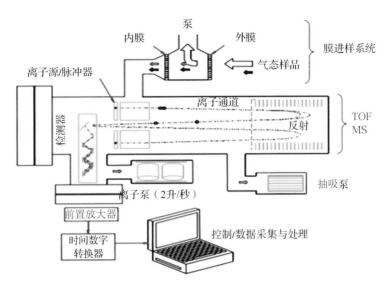

图 2-26　TOF-MS-200 分析检测原理

注：研究成果《基于飞行时间质谱原位检测的 5 种绿化植物异戊二烯释放速率》发表在《上海交通大学学报(农业科学版)》上，并获得了国家发明专利授权"一种自循环式扫脱烟雾箱及其使用方法"(授权号：ZL. 201810462217. 2)。

第三节　城市森林生物多样性

生物多样性保护是当今国际社会最为瞩目的重大环境问题之一，保护濒危动植物资源、维护生态平衡，关乎人类生存和发展，也是衡量一个国家和民族文明进步的重要标志。城市化是影响全球生物多样性变化的重要驱动因素之一。

城市生物多样性是评价城市生态系统服务功能的重要指标，对维护城市的生态安全和生态平衡、改善城市人居环境具有重要意义。城市在保护生物多样性方面的作用不可或缺，必须是遏制生物多样性丧失解决方案的一部分。确保城市生物多样性得到持续合理的保护和利用，考验着城市管理决策者的认知、意愿和能力，以实现到 2050 年阻止并开始扭转生物多样性丧失的愿景。

将城市生物多样性议题推入公众认知主流，提高人们对城市生物多样性的重视和保护，探索将城市生物多样性保护纳入城市发展战略途径，建立人与自然的重要纽带，寻求有助于城市可持续发展的基于自然的解决方案和基于生态系统的适应来保护和发展城市生物多样性。

目前，已有广州、深圳、西安、重庆、杭州、扬州等主要城市生态站开展了城市生物多样性监测，对市域范围内的城市森林、湿地的植物、鸟类、昆虫、土壤动物等生物多样性指标进行监测，以期为城市生物多样性保护策略和行动计划提供科学的观测数据，通过科普宣传提升公众对城市生物多样性的关注意识。

一、城市森林植物多样性研究

随着人们对城市人居环境的改善，城市森林和湿地等城市生态空间成为了生物的"庇护所"，植物和鸟类种类丰富，生物多样性有所增加。

（一）不同城市的园林植物多样性调查

2019 年，广州市共记录到城市园林绿地植物 1700 种，隶属 207 科 900 属，占全省植物种类的 30.6%。其中乔木树种 691 种，隶属 97 科 311 属；灌木种类 340 种，隶属 77 科 198 属；草本植物 551 种和 118 种藤本植物，隶属 137 科 479 属。扬州城市绿化植物有 800 多种。西安市城市森林乡土树种 141 种，隶属 41 科 81 属，其中园林绿化植物 105 种。由于各城市的地理位置及气候条件差异，植物存在着很大差异，尤其是乡土树种植物种类。

（二）不同城市的湿地植物多样性调查

广州城市湿地生物资源丰富，在南沙湿地共有湿地植物 318 种，其中蕨类植物 18 科 26 种，裸子植物 3 科 4 种，被子植物 69 科 288 种。种类最多的科是禾本科（Gramineae），共 36 种；其次为菊科（Compositae），共 24 种。在湿地植物中，苏铁（Cycas revoluta）和水松（Glyptostrobus pensilis）为国家一级保护野生植物，金毛狗（Cibotium barometz）和莲（Nelumbo nucifera）为国家二级保护野生植物。

杭州全市有湿地植物 989 种，隶属 133 科 473 属。其中湿地有害植物 47 种，隶属 18 科 36 属。将杭州湿地植被按照建群种生活型为主进行分类，共划分为 11 个植被型 133 个群系。列入国家一级保护野生植物 2 种，国家二级保护野生植物 7 种。

二、城市森林鸟类多样性研究

城市化对物种的栖息环境产生了非常重要的影响，鸟类是最常见的野生动物，对环境变化敏感且响应迅速，且比其他生物更容易记录和观测。

城市森林生态系统为鸟类提供了栖息地，鸟类保护植物的正常生长，鸟类是城市森林中最重要的成员，城市占据了世界至少20%的鸟类多样性，鸟类成为生物多样性和生境质量的重要指示物种。广州、深圳、西安、重庆、扬州等城市开展了鸟类多样性的相关观测工作。

（一）广州鸟类多样性变化

2018—2020年，广州市城市监测区域记录到鸟类共约315种，隶属于20目68科，占全省已记录鸟类553种的56.96%，比2008年增加9种。属于《国家重点保护野生动物名录》[①]的鸟类有31种，近危物种2种，5种被列入《濒危野生动植物种国际贸易公约》（CITES）附录Ⅱ，属于"三有"名录的234种，省级重点保护4种。相比2008年，国家一级保护鸟类消失，二级保护鸟类增加9种。

广州南沙湿地共记录鸟类75种，隶属于13目34科，占全省已记录鸟类的13.56%。属于《中华人民共和国政府和澳大利亚政府保护候鸟及其栖息环境的协定》名录的有13种，属于《中华人民共和国政府和日本国政府保护候鸟及其栖息环境的协定》名录的物种有29种；列入国家二级保护的物种有5种，列入CITES附录Ⅱ的物种有6种；广东省重点保护物种有12种；"三有"保护名录物种有56种。广州海珠国家湿地公园共记录鸟类12目30科63种，国家二级保护鸟类有3种；列入CITES附录Ⅱ的物种1种；广东省重点保护物种有10种；"三有"保护物种有52种。

（二）扬州鸟类多样性

扬州市鸟类据调查达270多种。国家一级保护的有丹顶鹤（*Grus japonensis*）、东方白鹳（*Ciconia boyciana*）等，共包含17目59科，占目前中国鸟类名录1458种鸟的18.24%。其中，极危鸟种1种：青头潜鸭（*Aythya baeri*）；濒危鸟种6种：中华秋沙鸭（*Mergus squamatus*）、丹顶鹤、东方白鹳、黑脸琵鹭（*Platalea minor*）、黄胸鹀（*Emberiza aureola*）、大滨鹬（*Calidris tenuirostris*）；易危鸟种4种：鸿雁（*Anser cygnoides*）、红头潜鸭（*Aythya ferina*）、黑嘴鸥（*Chroicocephalus saundersi*）、大鸨（*Otis tarda*）；近危鸟种11种：鹌鹑（*Coturnix japonica*）、罗纹鸭（*Anas falcata*）、草原鹞（*Circus macrourus*）、斑胁田鸡（*Porzana paykullii*）、凤头麦鸡（*Vanellus vanellus*）、红颈滨鹬（*Calid-*

---

① 本报告中参考的《国家重点保护野生动物名录》为1989年版本。

ris ruficollis)、弯嘴滨鹬(*Calidris ferruginea*)、紫寿带(*Terpsiphone atrocauda-ta*)、白颈鸦(*Corvus torquatus*)、小太平鸟(*Bombycilla japonica*)、震旦鸦雀(*Paradoxornis heudei*)。

(三)深圳鸟类多样性

深圳共记录到野生动物 110 科 513 种。其中国家一级保护野生动物 3 种，国家二级保护野生动物 39 种。深圳湾为深圳市鸟类主要栖息地，每年有 10 万只以上的候鸟在此停歇和越冬，常见的种类有 268 种。

(四)南昌鸟类多样性

南昌城市站在江西省林业科学院院内调查的 41 种鸟类中，有江西省级重点保护鸟类小䴙䴘(*Tachybaptus ruficollis*)、白鹭(*Egretta garzetta*)、灰胸竹鸡(*Bambusicola thoracicus*)、雉鸡(*Phasianus colchicus*)、山斑鸠(*Streptopelia orientalis*)、珠颈斑鸠(*Spilopelia chinensis*)、画眉(*Garrulax canorus*)等 11 种，占本区域调查鸟类的 26.83%。41 种鸟类中，其中留鸟 25 种，占本区域调查鸟类的 60.98%；冬候鸟 8 种，占本区域调查鸟类的 19.51%；夏候鸟 4 种，占本区域调查鸟类的 9.76%；旅鸟 4 种，占本区域调查鸟类的 9.76%。广布种 12 种，占本区域调查鸟类的 29.27%；东洋界 16 种，占本区域调查鸟类的 39.02%；古北界 13 种，占本区域调查鸟类的 31.71%。利用 Shannon-Wiener 指数测度江西省林业科学院鸟类物种多样性(H')为 3.168，均匀度(J)为 0.853。

在艾溪湖湿地公园观测到 37 种鸟类，有省级重点保护鸟类小䴙䴘、凤头䴙䴘(*Podiceps cristatus*)、苍鹭(*Ardea cinerea*)、池鹭(*Ardeola bacchus*)、白鹭等 11 种，占本区域调查鸟类的 29.73%。37 种鸟类中，留鸟 24 种，占本区域调查鸟类的 64.86%；冬候鸟 9 种，占本区域调查鸟类的 24.32%；夏候鸟 3 种，占本区域调查鸟类的 8.11%；旅鸟 1 种，占本区域鸟类的 2.705%。广布种 14 种，占本区域调查鸟类的 37.84%；东洋界 17 种，占本区域调查鸟类的 45.95%；古北界 6 种，占本区域调查鸟类的 16.22%。艾溪湖湿地公园鸟类物种多样性(H')为 3.249，均匀度(J)为 0.914。

在两个调查区域中，鸟类居留型组成上，冬候鸟和留鸟种类明显偏高，以留鸟为主。鸟类物种区系组成调查结果表现出明显的东洋界和古北界的区系特点。在 2 个调查区域，艾溪湖湿地公园主要为湿地环境，也有少许的灌草丛，生境较为单一。而江西省林业科学院生境多样，有湿地、居民区及林地生境，生境组成上相对多样，在鸟类物种组成上比艾溪湖湿地公园鸟类种类相对多。居留型及区系组成也存在差异。

（五）西安鸟类多样性

西安市有鸟类 20 目 61 科 317 种，其中以雀形目（Passeriformes）占优势，其次是雁形目（Anseriformes）、鸻形目（Charadriiformes）、鹈形目（Pelecaniformes）和鹰形目（Accipitriformes）等。主要集中在河流湿地较多的区域，而中心城区相对较少，河流湿地的保护对鸟类多样性具有重要意义。

三、城市森林昆虫多样性研究

昆虫是生物多样性的重要组成部分，对于维持健康的生态系统具有重要意义。目前，广州城市生态站、深圳城市生态站在市域内开展了昆虫多样性监测工作。

（一）广州昆虫多样性变化

广州城市生态站共采集和鉴定了昆虫标本 20758 只，隶属于 14 目 144 科 346 属 435 种（图 2-27）。半翅目昆虫数量最多，以缘蝽科（Coreidae）、蝽科（Pentatomidae）为优势种。城市公园是昆虫在城市中最重要的栖息地。8 个城市公园共收集昆虫标本 2996 只，分属于 13 目 101 科，半翅目（Hemiptera）、双翅目（Diptera）、直翅目（Orthoptera）、膜翅目（Hymenoptera）、鞘翅目（Coleoptera）、鳞翅目（Lepidoptera）和蜻蜓目（Odonata）昆虫为优势类群。

不同生境对昆虫种群影响明显。公园昆虫群落表现出界限较明显、分布呈岛屿状的独特特征，从昆虫多样性水平来看，位于城市中心的白云山风景名胜区甚至要高于城市边缘的一些栖境。海珠湖与科学城体育公园的昆虫相似性指数较低，昆虫群落结构差异较大，正好与两个公园生态系统类型的较大差异相一致，前者为湿地，后者为丘陵山地。

白云山风景名胜区、越秀公园、天河公园三个公园在空间上彼此独立，但三个公园之间的昆虫相似性指数较高。表明这三个公园之间有相似的生活环境，昆虫群落存在较高一致性。

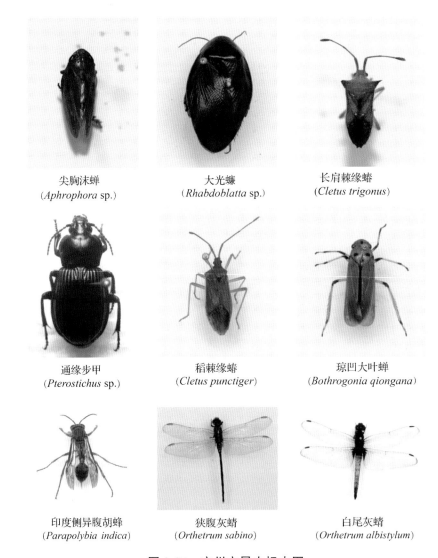

图 2-27　广州市昆虫标本图

(二) 深圳蝴蝶多样性变化

蝴蝶是自然生态系统的重要组成部分,蝶类多样性通常可以替代植物多样性用于环境质量评价。深圳城市生态站沿城区、近郊、远郊梯度布点进行蝴蝶观测分析,发现郊区的蝴蝶种类数量明显高于建成区,共观测到蝴蝶 5 科 37 种,数量 555 只(图 2-28)。优势种为酢浆灰蝶(*Pseudozizeeria maha*)、报喜斑粉蝶(*Delias pasithoe*)、宽边黄粉蝶(*Eurema hecabe*)、黄襟蛱蝶(*Cupha erymanthis*)、中环蛱蝶(*Neptis hylas*)、白带螯蛱蝶(*Charaxes bernardus*)、蓝点紫斑蝶(*Euploea midamus*)、巴黎翠凤蝶(*Papilio paris*)、玉带凤蝶(*Papilio polytes*)、统帅青凤蝶(*Graphium agamemnon*)等(七娘

美眼蛱蝶（*unonia almana*）

连纹黛眼蝶（*Lethe syrcis*）

波纹眼蛱蝶（*Junonia atlites*）

金斑蝶（雌性）（*Danaus chrysippus*）

翠蓝眼蛱蝶（*Junonia orithya*）

蓝点紫斑蝶（*Euploea midamus*）

图 2-28　典型蝴蝶

山）。市区公园的蝴蝶种类数和个体数量均为最低，仅观测到蝴蝶 4 科 17
种，数量 58 只。优势种为酢浆灰蝶、迁粉蝶（*Catopsilia pomona*）、幻紫斑
蛱蝶（*Hypolimnas bolina*）、玉带凤蝶等（洪湖公园）。蝴蝶多样性具有明显
的季节变化，8 月份达到峰值，9 月受台风影响，各样线蝴蝶多样性均显
著降低。

四、城市森林生物多样性研究主要进展

(一)城市森林也可以成为植物的"庇护所"

从广州市城市公园绿地 2008 年和 2019 年生物多样性调查对比分析中
得出，城市公园绿地植物新增 5 种，生物多样性基本维持平衡，群落乔木层优势种动态变化明显。

由于城市有效推广乡土树种，城市外来乔木和灌木物种比例呈下降趋势，下降 2%~4%，维护着生态系统平衡。外来草本物种比例增加了 2%（图 2-29），通过引进观赏草本植物，丰富了城市视觉景观。

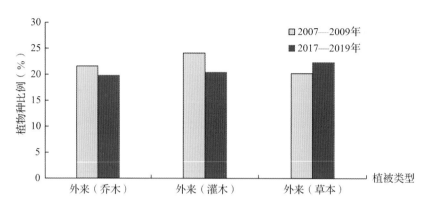

图 2-29　广州市不同年份外来物种数量比较

（二）城市可以成为人与鸟类"共享"的生态家园

从广州城市站监测结果发现，中心城区鸟类物种及数量均大幅度增加，由 2008 年的 71 种 11389 只增加到 2018 年的 127 种的 31010 只（图 2-30），优势种和常见种发生显著变化。各公园的鸟类多样性指数增加（图 2-31），均匀度有所降低（图 2-32），表明城市中心城区公园鸟类的优势种更为明显，优势种种类数量增幅较大（佟富春等，2019）。

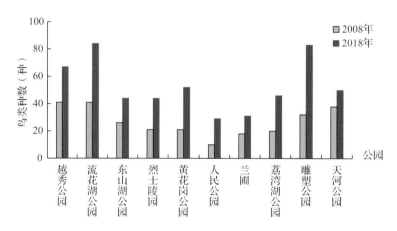

图 2-30　广州市中心城区鸟类种数动态变化

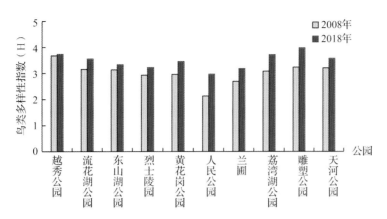

图 2-31 广州市中心城区鸟类多样性指数（H）动态变化

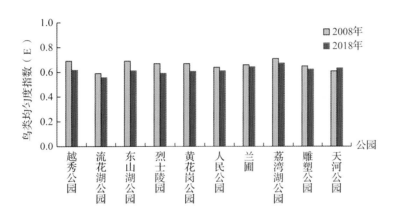

图 2-32 广州市中心城区鸟类均匀度指数（E）动态变化

黄胸鹀（禾花雀）（*Emberiza aureola*）

紫寿带（*Terpsiphone atrocaudata*）

黄脚三趾鹑（*Turnix tanki*）　　　水雉（*Hydrophasianus chiryrdus*）

红嘴蓝鹊（*Urocissa erythroryncha*）　　叉尾太阳鸟（*Aethopyga christinae*）

乌鸫（*Turdus merula*）　　　山斑鸠（*Streptopelig orientalis*）

普通翠鸟（*Alcedo gtthis*）　　　橙头地鸫（*Geokichla citring*）

珠颈斑鸠（*Spilopelia chinensis*）　　红耳鹎（*Pycnonotus jocosus*）

图 2-33　广州市重点保护鸟类

(三)城市果园也是树附生苔藓植物的重要栖息地

随着全球城市化进程的加快，越来越多的农林用地被纳入城市范围内。但是关于城市农林用地为城市生物提供潜在栖息地的能力了解还很少，尤其是为对环境变化敏感的树附生苔藓植物提供生境的能力。这类植物在维持生物多样性和森林生态系统功能等方面发挥着重要的作用。珠江口城市群生态站以深圳市羊台山森林公园为研究地点，研究城市果园对树附生苔藓植物多样性的影响。深圳地区龙眼、荔枝种植面积3026.6公顷，占全市林业面积的3.9%，分布在城市内部和周边的山体下方，受人类活动影响大，是深圳地区典型的城市森林类型。

研究内容主要为3种植被类型中树附生苔藓植物的多样性、物种组成和分布情况，每种植被类型各选择了2个林分，共6个林分：①果园：龙眼和荔枝种植园；②相近林龄的次生林：水翁和水团花林；③较老林龄的次生林：浙江润楠和锥林。

通过比较城市果园和邻近地区不同林龄的次生林中树附生苔藓植物的多样性、物种组成和分布特征，表明：①城市果园中树附生苔藓植物的物种丰富度高于次生林，丰度仅高于相同林龄次生林，低于老次生林(图2-34)；②城市果园和不同次生林之间树附生苔藓植物的物种组成上存在显著差异；③城市果园和不同次生林中，树附生苔藓植物均更加偏好于树干北侧和中下部。这项研究揭示，城市果园相比于次生林可以为树附生苔藓

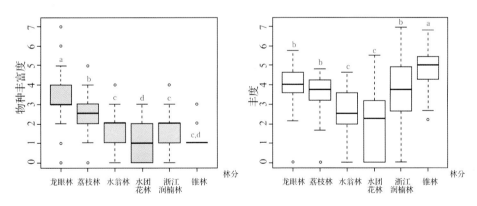

图 2-34 不同林分中树附生苔藓物种丰富度和丰度的差异

注：研究成果《Urban orchards provide a suitable habitat for epiphytic bryophytes》发表在《Forest Ecology and Management》上。该研究得到了中国林业科学院林业研究所林木培育重点实验室专项资金支持；欧盟地平线 2020 研究与创新计划（821242）资助；国家自然科学基金资助（31700558）。文献链接：https：//doi.org/10.1016/j.foreco.2020.118767。

植物提供更高潜力的栖息地。本研究为城市果园对植物生境的保护和城市生物多样性的改善提供了支撑，也为政府机构和城市森林管理人员对于明确城市农林用地未来的经营方式提供了依据。

（四）城市土壤拥有多姿多彩的土壤动物

土壤动物种类丰富，与土壤微生物多样性共同构成土壤生物多样性的主体。土壤动物填充了地球上丰富而独特的时空和功能生态位。

广州城市园林绿地共获得大中型土壤动物 124550 头，隶属于 3 门 12 纲 29 目或亚纲。优势类群为真螨目（Acariformes）和弹尾纲（COLLEMBO-LA）；常见类群为前气门亚目（Prostigmata）、中气门亚目（Mesostigmata）、等足目（Isopoda）、蠕形马陆亚纲（HELMINTHOMORPHA）、缨翅目（Thysanoptera）、鞘翅目（Coleoptera）和膜翅目（Hymenoptera）；稀有类群包括寡毛纲（OLIGOCHAETA）、腹足纲（GASTROPODA）、蜘蛛目（Araneae）等 20 目，总计占个体数 7.62%。植食类群 30 类 17471 头，占总捕获个体数的14.0%；捕食类群 20 类 7415 头，占总捕获个体数的 6.0%；腐食类群 79 类 91619 头，占总捕获个体数的 73.5%；杂食类群 21 类 8045 头，占总捕获个体数的 6.5%（乔煜等，2018）。

广州城市园林绿地大中型土壤动物个体数量及类群数量都以 F0 层占绝对优势，其次为 F1 层，F2 和 F3 层土壤动物个体数量及类群数量急剧降低。凋落物层是大中型土壤动物集居的场所，由于植物生长过程中产生的有机残体留在土壤表层，经分解者的分解变为腐殖质，给大中型土壤动物提供营养成分，因此凋落物层土壤动物数量和类群最多。

广州市城市园林绿地大中型土壤动物多样性、均匀度、优势度和丰富度分别为：Shannon & Weiner 多样性指数为 3.6000，Pielou 均匀度指数为0.7216，Simpson 优势度指数为 0.0473，Margalef 丰富度指数为 17.6110（乔煜等，2018）。

（五）声景地图分析成为研究鸟类活动的重要手段

城市环境内的复杂空间变化，在一定程度上掩盖了城市森林鸟类活动的变化特征，增加了研究城市鸟类活动的困难。生物声学利用声学方法大范围长期监测发声生物群落的活动，为城市森林鸟类研究提供了新的视角。然而，目前大多数声景研究都使用分散的麦克风布局来记录声音，这不利于解释城市地区复合因素干扰下的鸟类活动。

基于此，珠江口城市群生态站首次在中国南亚热带地区使用阵列布局麦克风的采样方法研究鸟类活动，阵列由 30 个(5×6，间隔 80 米)录音设备组成监测网格。再通过鸣声鸟类物种识别、声学指数等方式量化生物声数据，结合实地调查的植被群落因素，构建不同季节的城市森林声景地图，来分析预测城市森林环境内鸟类活动的时空变化(图 2-35)。结果显示，雀形目鸟(92.11%)主导了城市森林发声生物群落。春季是鸟类活动的主要季节，观测到了 59 种鸟类和更加丰富的鸟类活动。同时，观测到具有不同发声频率的鸟类对植被群落的倾向性不同，城市森林空间结构对鸟类活动影响显著，尤其是森林的垂直结构变化和林缘效应的影响。在这项研究中，30 个声音采集点有 14 个处于游客活动区，16 个位于自然植被区，结果发现游客活动区域的鸟类活动强度明显低于自然植被区域，表明人为活动对城市鸟类活动具有显著的负面影响。该研究显示了声学方法在城市森林环境内的广泛应用潜力，利用声景地图的方法使我们从新的视角，分析和揭示了城市环境因素对鸟类活动的复杂影响，并对今后进一步研究城市森林生态价值奠定了基础，为城市森林生态环境保护和优化提供了依据。

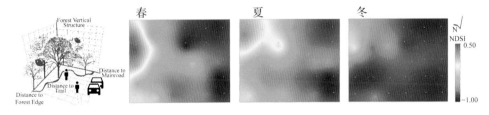

图 2-35　声景地图及空间因素示意

注：研究成果《Soundscape mapping for spatial－temporal estimate on bird activities in urban forests》发表在《Urban Forestry & Urban Greening》上。该研究得到了国家林业局林木培育重点实验室基金项目(ZDRIF201716)和国家自然科学基金(31570594)的资助。文献链接：https：//doi.org/10.1016/j.ufug.2020.126822。

第四节　城市森林游憩环境

一、城市森林人体气候舒适度研究

气候舒适度是指健康人群在无需借助防寒、避暑装备和设施情况下对气温、湿度、风速和日照等气候因子感觉的适宜程度。城市森林作为居民休闲游憩的主要场所，其气候舒适度状况是人们比较关注的。气候舒适度指数评价采用"综合舒适指数"进行评价(张艳丽，2013)，主要分为 5 个等级：1 级，很舒适；2 级，舒适；3 级，较舒适；4 级，不舒适；5 级，极不舒适(表 2-3)。涉及气温、相对湿度和风速 3 个气象指标，具体计算公式为：

$$S = 0.6(|T-24|) + 0.07(|RH-24|) + 0.5(|V-24|) \qquad (2-1)$$

式中：S 为综合舒适度指数，T 为气温，RH 为相对湿度，V 为风速。

表 2-3　人体气候舒适度指数评价标准级

级　别	S 范围	感觉程度
1	$S \leqslant 4.55$	很舒适
2	$4.55 < S \leqslant 5.75$	舒适
3	$5.75 < S \leqslant 6.95$	较舒适
4	$6.95 < S \leqslant 9.00$	不舒适
5	$S > 9.00$	极不舒适

目前长株潭、杭州等多个城市生态站采集了各站点的气温、相对湿度、风速等气象数据，并分析了城市森林气候舒适度，结果表明，城市森林能为居民提供清洁和高舒适度环境，在夏季和秋季能明显改善城市人体气候舒适度，是城市居民避暑的良好处所。

(一)杭州城市站气候舒适度对比分析

以杭州城市站作为长三角城市气候舒适度研究代表。杭州城市站分别以午潮山森林公园、杭州市植物园和浙江省林业科学研究院等地作为森林公园、城市中心和城郊的代表，利用当地设立的空气质量监测系统和气象观测仪器测量空气温度、湿度和风向等指标，评估森林、湿地生态系统对城市人口的生活舒适状况。

总体来说，城市森林和湿地的降温作用均很明显，城市森林的平均温度为 28.8℃，城市湿地的平均温度为 28.4℃，与对照区相比，分别降低 1.9℃、2.3℃(图 2-36)。不同月份，城市森林和湿地与对照区的气温日变化谷值出现于早晨 6:00，峰值出现于 13:00~15:00。白天时段城市森林的气温整体较低，夜间时段城市湿地的气温整体较低，对照区全天气温均高于城市森林和城市湿地。城市森林和城市湿地的降温效益在气温最高的 7 月最为明显，白天城市森林的降温效应强于城市湿地，而夜间城市湿地的

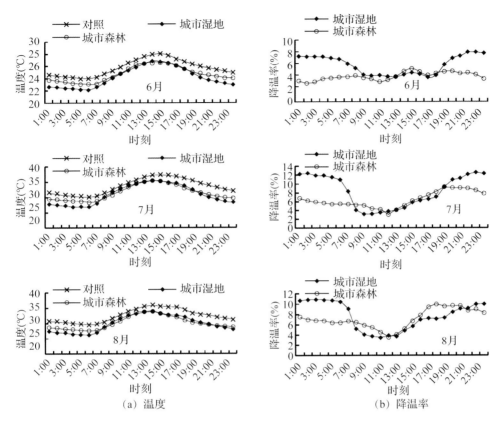

图 2-36　不同环境温度和降温率的日变化

降温效应强于城市森林。

　　城市森林和城市湿地均有明显的增湿效应，城市森林的平均相对湿度为 75.1%，城市湿地的平均相对湿度为 79.5%，分别比市中心对照区增加了 5.9% 和 10.3%（图 2-37）。整体来看，城市湿地的增湿效应要高于城市森林。城市森林和湿地与对照区的相对湿度日变化趋势和气温相反，峰值均出现于 6:00，谷值出现于 13:00~15:00。研究表明，城市森林和城市湿地的增湿效益在相对湿度最低的 8 月最明显，城市湿地的增湿效益整体大于城市森林。

　　风速的变化会影响人体对温度的感知。城市森林、城市湿地和对照区的平均风速分别为 0.3、0.1 和 0.3 米/秒，城市湿地对风速的影响较明显，全天均低于对照区，而城市森林则在风速较大的情况下对风的消减作用明显（图 2-38）。不同月份城市森林和城市湿地对风速的消减效应均在下午风速较大的时刻达到最大值，城市森林最大降低 0.2~0.3 米/秒，城市湿地最大降低 0.3~0.4 米/秒。

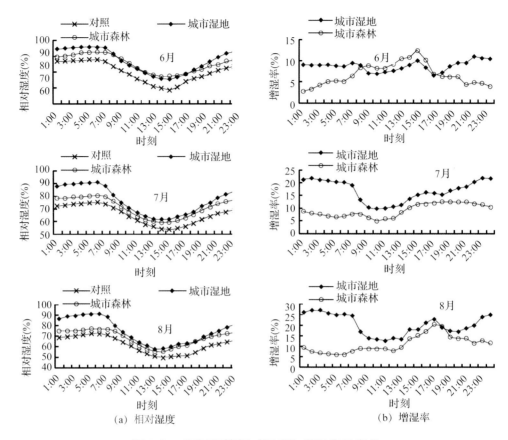

（a）相对湿度 　　　（b）增湿率

图 2-37　不同环境相对湿度和增湿率日变化

参照人体气候舒适度评价计算不同环境综合舒适度，结果如图 2-39所示。6 月，城市森林、城市湿地和对照区的综合舒适度指数（S）均比较低，全天体感均很舒适。7 月和 8 月，城市森林和城市湿地的综合舒适度指数全天均明显低于对照区，体感更舒适，且城市森林的综合舒适度指数最低，体感最舒适。7 月，对照区 10:00~22:00 共 13 个时段综合舒适度指数 S>6.95，体感不舒适；城市森林和城市湿地 11:00~18:00 共 8 个时段综合舒适度指数 S>6.95，体感不舒适。8 月，对照区 11:00~19:00 共 9个时段综合舒适度指数 S>6.95，体感不舒适；城市森林和城市湿地12:00~15:00 共 4 个时段综合舒适度指数 S>6.95，体感不舒适，全天均没有极不舒适的时段。整体来看，城市森林和城市湿地均能明显缩短体感不舒适的时间，综合舒适度指数处于不舒适级别及以上的时段均缩短 5 小时，其中处于极不舒适级别的时段 7 月分别缩短 7 小时和 6 小时，8 月则均缩短了 3 小时。

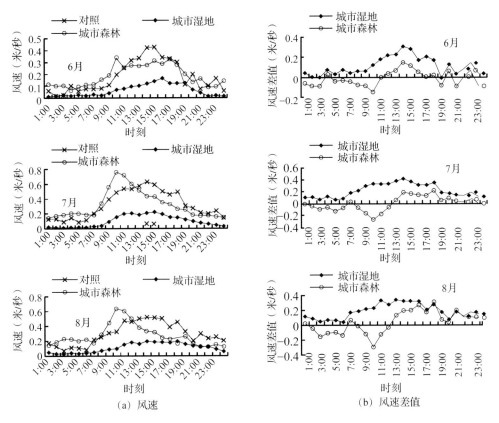

（a）风速　　　　　　　　　　　　　（b）风速差值

图 2-38　不同环境平均风速及其差值日变化

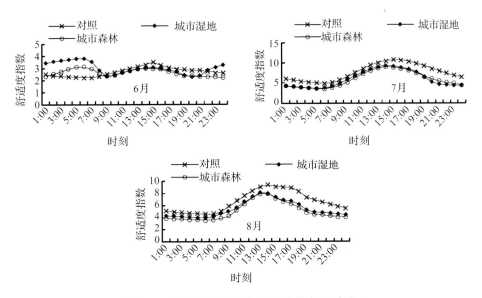

图 2-39　不同环境综合舒适度指数日变化

（二）长株潭城市站气候舒适度动态变化

以长株潭城市站作为中部城市气候舒适度研究代表。长株潭城市站以主站点湖南省森林植物园长期定位监测点气象数据代表城市森林气象数据，并以湖南省森林植物园北门常规气象场数据作为对照（该点挨近城市道路），使用 2019 年 1 月至 2019 年 12 月逐日气候舒适度指数按月份进行统计。结果表明，两个监测点的舒适度指数月均值大致表现出一致的变化规律（表 2-4、图 2-40）。

按照人体气候舒适度指数评价的标准，珍稀植物园内 2019 年 4~10 月的气候舒适度较好，其中 6 月和 9 月气候舒适度达到很舒适等级。对照点各月份的人体气候舒适度指数>9，为极不舒适的气候状态。这表明，城市森林在夏季和秋季能明显改善城市人体气候舒适度，是城市居民避暑的良好处所。

表 2-4　不同月份气候舒适度等级

监测点		月 份											
		1	2	3	4	5	6	7	8	9	10	11	12
对照点	S	22.92	22.86	18.12	15.54	14.18	13.36	14.36	15.02	13.82	14.85	16.66	20.23
	等级	5	5	5	5	5	5	5	5	5	5	5	5
珍稀植物园	S	11.66	14.13	8.75	6.12	5.29	4.29	4.76	6.27	3.73	5.02	7.05	11.22
	等级	5	5	4	3	2	1	2	3	1	2	4	5

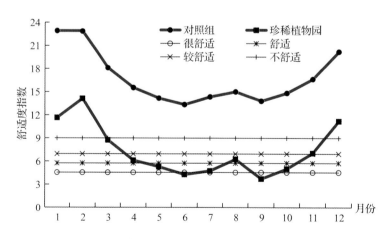

图 2-40　湖南省森林植物园气候舒适度指数月变化图

湖南省森林植物园气候舒适度指数有明显的季节变化特征（表 2-5）。珍稀植物园内冬季舒适度指数最高，超出极不舒适等级。春、夏、秋 3 季均在较舒适等级以内，秋季比春季和夏季舒适，夏季稍比春季舒适。研究表明植物园内小气候使人体感到舒适度次数秋季最多，夏季次之，春季最少。对照组 4 个季节均在极不舒适等级以上，舒适度指数从高到低表现为冬季>春季>秋季>夏季，这主要是因为对照组地理位置靠近植物园北门，临近高架桥和马路且周边缺少植被覆盖，温度较高、相对湿度小、风速大。因此，本研究结果表明，越往城市森林中心，人体气候舒适度越高，离城市中心越近，人体气候舒适度越低。

表 2-5　不同季节气候舒适度等级

监测点		季　节			
		春　季	夏　季	秋　季	冬　季
对照点	S	15.95 (1.64)	14.25 (0.68)	15.11 (1.17)	22.54 (0.03)
	等级	5	5	5	5
珍稀植物园	S	6.68 (1.47)	6.04 (0.84)	4.21 (1.37)	11.66 (1.23)
	等级	3	3	1	5

注：括号内数字为标准差。

二、城市森林空气负氧离子研究

空气负氧离子被誉为"空气维生素""大气长寿因子""环境警察"。空气负氧离子的寿命很短，在森林、瀑布和沿海地区，负氧离子可以持续大约几分钟，但在城市地区只能持续几秒钟。在城市，城市公园与城市森林内空气负氧离子浓度较高，这为居民提供了良好的休闲游憩的去处，有益于居民身心健康。目前城市生态站陆续开展这项指标观测。

(一)杭州城市站负氧离子对比分析

以杭州城市站作为长三角地区负氧离子研究代表。杭州城市站午潮山国家森林公园实验样地中海拔高度相同的 5 个林分(针叶林、毛竹林、常绿阔叶林、落叶阔叶林和针阔混交林)的空气负氧离子浓度在春、夏、秋、冬四季的日变化规律如图 2-41。在监测时段(6:00~18:00)内，5 个林分的季节变化各不相同，且空气负氧离子浓度呈现波峰波谷交替出现的现象。

对 5 个林分的空气负氧离子浓度日变化分析发现，针叶林和毛竹林内的空气负氧离子浓度在春、冬两季变化规律大致相同，其峰值均出现在7:00~8:00；针叶林在夏、秋两季呈现单峰型，在 12:00 出现峰值。毛竹林在夏季呈现双峰型，峰值出现在 9:00 和 13:00，在秋季则呈现单峰型，在 13:00 达到峰值。而针阔混交林内空气负氧离子浓度在春、秋两季变化趋势较平缓，而在夏、冬两季呈现明显的双峰型，在 8:00 和 15:00 出现峰值。而常绿阔叶林和落叶阔叶林内空气负氧离子浓度日变化趋势各不相同。整体来看，针叶林、竹林和针阔混交林在不同季节变化趋势相对波动较小，而常绿阔叶林和落叶阔叶林空气负氧离子浓度不同季节变化波动较大，且 5 个林分日变化规律随季节变化十分明显，5 个林分在夏季空气负氧离子浓度均明显高于春季、秋季、冬季(图 2-41)。

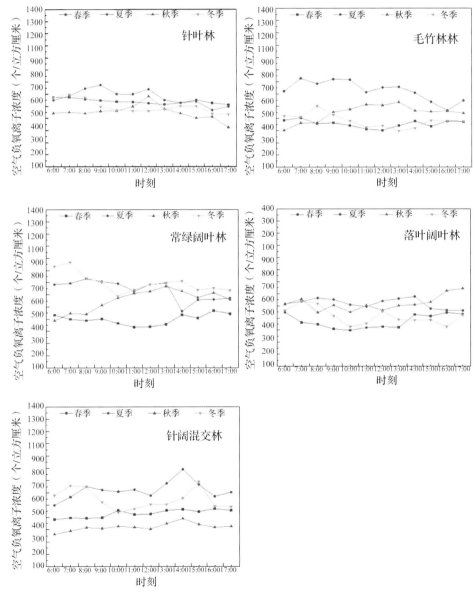

图 2-41　不同林分空气负氧离子浓度日变化

(二)长株潭城市站负氧离子动态变化

以长株潭城市站作为中部地区负氧离子研究代表。湖南省森林植物园2017—2018年空气负氧离子浓度季节水平比较情况见表2-6。监测区内空气负氧离子浓度季节变化特征为：夏季>秋季>春季>冬季(李巧云，2019)，夏季平均浓度为922个/立方厘米，冬季平均浓度为367个/立方厘米(表2-6)。

表2-6　空气负氧离子浓度水平统计表

季节	负氧离子浓度(个/立方厘米)	
	最大值	平均值
春季	4700	444
夏季	10000	922
秋季	3134	720
冬季	1203	367

湖南省森林植物园春夏秋冬季节空气负氧离子浓度值日变化结果如图2-42。在春季、秋季、冬季，空气负氧离子浓度的日变化规律大体一致，0:00~12:00的变化趋势较为平稳；早上6:00~8:00时间段出现1个谷值，这个时间点是园内晨练、散步活动的高峰时段，此时粉尘、烟尘含量增多，空气中的正、负氧离子容易碰撞形成中性分子，降低了负氧离子浓度水平(金琪，2015)。夏季空气负氧离子浓度的变化幅度波峰、波谷更迭出现，日变化呈现四峰分布，波峰分别出现在3:00、8:00、16:00和22:00，

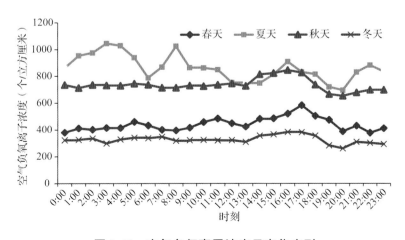

图2-42　空气负氧离子浓度日变化序列

其中最高峰出现在 3:00，为 1045 个/立方厘米，可能与长沙夏季雷电等极端天气多出现在晚间，造成空气负氧离子瞬时值较大有关，对于负氧离子浓度增加明显(谭静等，2017)。从日变幅来看，冬季的日较差最小，为 122 个/立方厘米；夏季日较差最大，为 349 个/立方厘米，昼夜差异比较明显。

(三)重庆城市站负氧离子动态变化

以重庆城市站作为西南地区负氧离子研究代表。重庆城市站依托城市站目前建成运行包括主站歌乐山，辅站南山、照母山和鸿恩寺共四个监测点，已连续开展观测 2 年。其中，主站歌乐山观测点空气负离子年均浓度为 1080 个/立方厘米，按照中华人民共和国林业行业标准《空气负氧离子浓度观测技术规范》(LY/T 2586—2016)划分，属于三级以上，日最高平均值可达到 9343 个/立方厘米。辅站南山森林公园观测点空气负离子年均浓度为 1370 个/立方厘米，达到二级以上，日最高平均值可达到 14447 个/立方厘米；照母山森林公园观测点空气负离子年均浓度为 628 个/立方厘米，达到三级以上，日最高平均值可达到 13882 个/立方厘米；鸿恩寺森林公园观测点空气负离子年均浓度为 750 个/立方厘米，达到三级以上，日最高平均值可达到 7236 个/立方厘米。

三、城市森林游憩环境主要进展

城市森林具有较为优越的空气、声音、小气候等环境，逐渐成为人们闲暇之余休闲养生的重要场所，越来越多的人们选择走进森林，呼吸林内清新的空气。人们在森林中活动时心情放松，压力减少，精神状态改善，幸福感和健康状况提升，在城市环境中出现的不适感也明显缓解。人们对森林有利于身心健康的保健功能的关注和重视程度不断增加。然而，国内对城市森林保健功能的研究主要是通过监测林内环境保健因子来间接评价其生态保健功能，缺乏对森林康养效应的实证研究。因此，珠江口城市群生态站以昆明种小白鼠为研究对象，以医学上常用的旷场试验为手段，研究了深圳典型城市森林对小白鼠自发行为和情绪状态的影响，并分析了小白鼠自发行为、情绪状态等指标的变化及其与森林内主要空气环境因子的关系(图 2-43)。

研究发现进入 3 种典型森林(山麓马占相思林、河谷绿黄葛树-木荷林、山脊木荷-鹅掌柴林)后，小白鼠的自发活动量(运动总路程、中央格运动路程、中央格进入次数、中央格停留时间)都比室内对照组明显增加

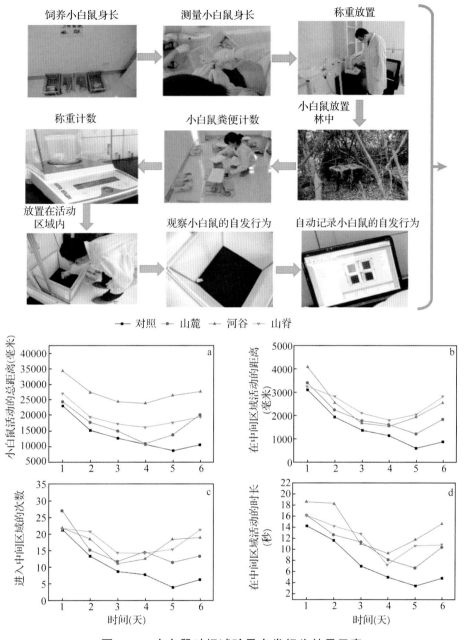

图 2-43　小白鼠旷场试验及自发行为结果示意

注：研究成果《Urban forests increase spontaneous activity and improve emotional state of white mice》发表在《Urban Forestry & Urban Greening》上。该研究得到了林业公益性行业科研专项经费项目"美丽城镇森林景观的构建技术研究与示范"（201404301）的资助。文献链接：https://doi.org/10.1016/j.ufug.2019.126449。

了 50%以上；森林组小白鼠的粪便粒数比对照组减少了 20%以上；小白鼠自发行为、体质量与林内空气负离子浓度、温度、相对湿度和风速正相关，与氧气含量和气压负相关。3 种城市森林环境总体上优于室内环境，都可以明显增加小白鼠的兴奋性、探索、认知能力和记忆力，降低其紧张感，改善小白鼠的情绪状态。该研究为休闲保健型城市森林的构建提供了科学依据；在国内目前城市森林康养保健效应的实证研究相对较少的情况下，也为今后城市森林康养保健效应的实证研究提供了新方法和数据支撑。

第五节　城市森林缓解热岛效应

热岛效应显著增加了城市能耗，加剧城市大气环境污染，直接或间接影响到人体健康和社会经济发展（彭少麟等，2005）。作为绿色基础设施，城市森林（绿地、湿地）是缓解城市热岛效应的关键因素（Feyisa et al.，2014；Tong et al.，2017）。城市森林植被形成了极强的环境异质性，塑造了与大区域不同的局域小气候，对局地气候环境可产生强烈的反馈调节作用（刘海轩等，2019）。城市森林（绿地、湿地）的热岛缓解效应取决于林分类型、林分结构、景观结构、下垫面性质以及区域气候特征（陈辉等，2009；刘海轩等，2019），而人类对城市森林（绿地、湿地）的营建及管护措施能够对城市森林降温效应产生显著影响（刘宏明，2017）。分析城市森林（绿地、湿地）内外空气温度、土壤温度等气候要素的差异，加强对城市生态系统功能的认识，可为城市森林（绿地、湿地）经营、保护提供科学依据。

各城市生态站针对城市森林的热岛缓解效应开展了较为系统的定位观测和科学研究，取得的主要研究进展如下：

一、城市森林的降温效应研究

城市森林自身温度比周边非植被下垫面温度低，因此会对周围热环境产生一定程度的降温作用（Feyisa et al.，2014；刘海轩等，2019）。杭州站、广州站、长株潭站、扬州站等对市区城市森林（湿地）内外空气和土壤温度进行了系统观测，结果均显示城市森林（湿地）具有显著的降温效应，且可有效减少城市高温天数，表明城市森林（湿地）具有良好的热岛缓解和气候调节功能。例如杭州站多点观测结果表明，城市森林和城市湿地年平均气温与对照区相比分别降低了 1.9℃ 和 2.3℃，杭州市中心对照区最高气温超过 35℃ 的高温天数达 56 天，超过 40℃ 的极端高温天数也有 17 天，而城市森林和城市湿地的高温天数则分别减少至 40 天和 43 天，极端高温天均只出现了 1 天。广州站的监测结果表明（图 2-44），广州城市公园平均气温较外部区域低1.2℃，降温幅度为0.09~2.94℃。扬州站的监测结果表明(图2-44)，扬州地区城市森林林内空气温度均低于林外空气，差值0.05~1.01℃。

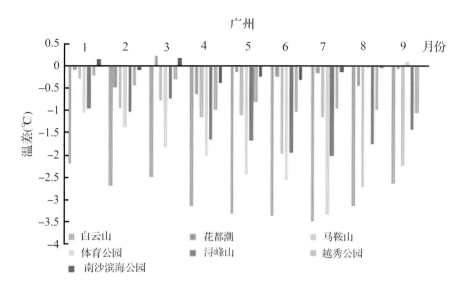

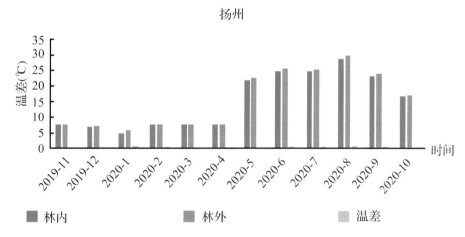

图2-44 广州和扬州城市森林内外平均温度和温差

城市森林(湿地)对温度的调节作用表现出显著的季节变化特征。一般来讲，城市森林(湿地)降温效应夏季强于冬季，尤其在气温最高的7、8月最为明显。例如长株潭站的监测结果显示，7月和1月城市森林内部与空旷地日均气温差分别为0.86℃和0.28℃(图2-45)。另外，部分地区城市森林在冬季还具有增温效果，例如广州站的监测结果表明，广州城市公园绿地与外部区域的最高气温差异为-4.44~-8.51℃，而最低气温变化表现出相反趋势，城市公园比外部区域最低气温平均升高了2.5℃，增温幅度为1.47~2.94℃(图2-44)。

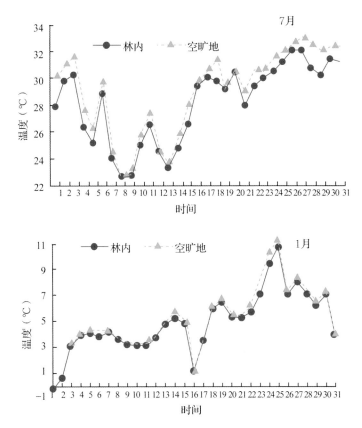

图 2-45　长沙珍稀植物园森林与空旷地 7 月和 1 月日平均气温比较

城市森林(湿地)除具有内部降温效应外,还能影响周边区域热环境特征。广州站采用林内与林外气候温度差异与距离梯度来确定其温度缓冲半径,广州城市公园绿地的降温影响缓冲区域范围平均约为 198 米,其中白云山的降温影响缓冲区域范围最大,约 456 米,马鞍山公园降温影响范围为 212 米,越秀公园的降温影响范围为 176 米,南沙滨海公园的降温影响范围为 93 米,体育公园的降温影响范围为 55 米。

二、城市森林土壤表面温度反演

杭州城市生态站基于气象观测数据和 IKONOS 高分遥感影像对地表温度进行了反演,以西溪湿地为例对城市森林土壤表面温度变化进行了分析。结果表明,绿地和水体在一年中的地表温度最低,建筑物在一年中的地表温度最高,道路和裸地次之(图 2-46)。该区冬季的温度图像较夏季更为复杂,冬季地表温度除北部区域温度较高外,湿地区域内部也有零星的高温区域,而夏季该区内的湿地区域温度却较为均一,周边有建筑区域的地表温度较高，内部变异也较为明显（图 2-47）。

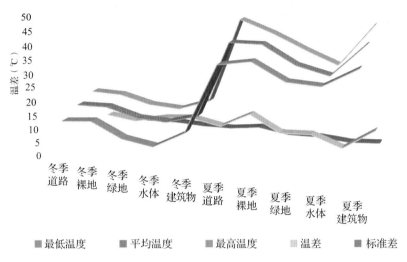

图 2-46　杭州西溪湿地内不同地物类型内部地表温度特征

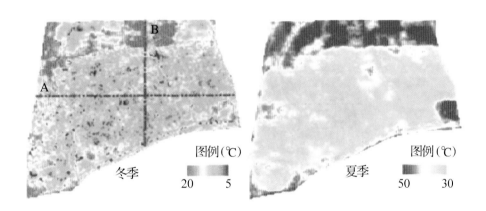

图 2-47　杭州西溪湿地内冬、夏季地表温度变化

三、城市森林景观格局与热岛效应关系研究

　　探寻城市森林景观格局与城市热岛分布之间的关系，获得能有效改善城市热岛效应的最适植被数量与分布格局，有助于加深对城市森林热岛减缓效应的认识（Kong et al.，2014）。中国林业科学研究院城市森林研究团队基于中尺度 Landsat TM6 卫星影像数据，以合肥市为研究对象，在比较合肥市热环境的动态演变特点基础上，探讨了城市热力分布格局差异的成因，分析了城市热环境与城市森林景观斑块面积及分布格局间的关系。

　　研究表明，合肥市热量总体分布以二环线为分界线，二环路以内热量集聚形成中心城区"热岛",以星状向外辐射,且西南片热量高于西北(图2-48);市区温度分布以为 25~29℃ 的中温区为主,面积占比超过 70%,29℃ 以上的高温区主要分布在二环以内的主城区。

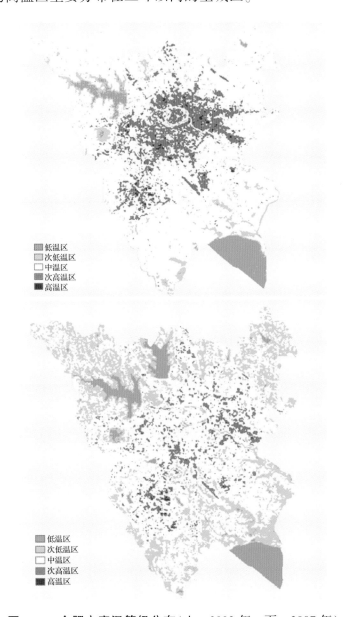

图 2-48　合肥市亮温等级分布(上:2003 年;下:2007 年)

城市空气温度与城市森林叶面积指数(LAI)以及一般绿地 LAI 间均存在显著负相关关系($R^2=48$,$P<0.05$;$R^2=56$,$P<0.01$)(图 2-49)。城市绿地作为一个冷源,直接影响着周边环境温度状况,其影响强度随着与绿地距离的增大而减小;随着绿地斑块面积的增大,绿地周边温度场出现低温

的比例逐渐上升，而周边温度场出现高温的概率逐渐减少，绿地斑块面积与温度场中温区比例关系不显著。城市森林缓解热岛效应的作用不仅取决于面积总量，同时与斑块尺度、其聚集程度有相当大的关系，因此在城市森林的规划与建设中，不仅要考虑城市森林总量、尽可能提高覆盖率，同时要十分注意城市森林斑块的分布格局，单个斑块面积大、聚集度相对高的城市森林分布更有利于热岛效应的缓解。

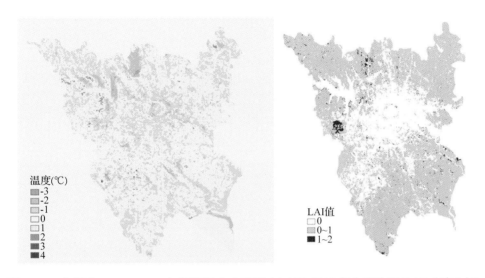

图 2-49　合肥市 2003—2007 年间亮温分布变化（左）**和 2003 年合肥市区 LAI 分布**（右）

四、土地利用变化对城市热环境的影响

评估城市化过程中土地利用类型的转移特征及其对热环境的影响，可为优化土地利用格局和低碳背景下区域发展和管理提供科学依据（彭保发等，2013；刘海轩等，2019）。西安站研究了西安市土地利用与城市热环境变化的关系。

西安站以西安市主城区为对象，基于遥感 Landsat 影像数据，研究了西安土地利用变化对城市热环境的影响（图 2-50）。结果表明，2000—2016年，西安城市化扩张迅速，主城区建设用地面积由 322.31 平方公里增加至 644.29 平方公里，建设用地呈现大斑块集聚状态，耕地与林草地破碎化趋势明显，土地利用类型多样性逐渐降低。2000—2016 年，西安市主城区热岛面积由 271.30 平方公里增长至 360.20 平方公里，热环境恶化面积（268.24 平方公里）远大于改善面积（154.65 平方公里），城市热环境发生明显恶化。景观格局指数变化对城市热环境影响具有不稳定性，从斑块类

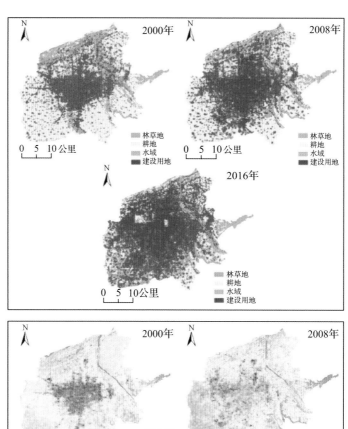

图 2-50 2000—2016 年西安市主城区土地利用分类(上)和归一化地表温度分布(下)

型水平指数来看,林草地与水域的最大斑块面积指数、集聚度指数差值与地表温度差值呈负相关,景观形状指数差值与地表温度差值呈正相关,而耕地与建设用地则呈现相反趋势;从景观水平指数来看,最大斑块面积指数、集聚度指数、蔓延度指数差值与地表温度差值呈正相关,而景观形状指数、平均分维数、香农多样性指数则呈负相关。生态用地越集聚,斑块连通度越高,形成大斑块的生态用地降温效果越显著,对应地表温度越低；相反建设用地越集聚，成片连接的不透水面升温效果越显著，对应地表温度越高。在未来的城市发展中，西安市要从三个方面改善城市热环境，提高生态环境质量：一方面要合理利用土地资源，包括严格控制新增建设用地面积、优化土地利用结构；另一方面要开展城市生态规划设计，包括构建城市通风廊道、建设透水性硬化路面及铺地；三是要进一步加强城市绿化建设，提高城区树冠覆盖率。

第六节　城市森林土壤状况

森林土壤是影响林木生长发育的重要环境因子，也是森林生态系统物质循环、能量流动的重要场所。城市土壤是出现在城市和城郊地区，受多种方式人为活动的强烈影响，原有继承特性得到强烈改变的土壤总称。土壤有机质、氮、磷等因子是土壤肥力的重要组成部分，也是土壤微生物的主要能源，而土壤微生物又通过驱动土壤碳、氮、磷等养分的转化和循环，从而影响土壤的理化性质、保水保肥和养分供应能力（曹志洪和周健民，2008；Zhang et al.，2019）。与此同时，土壤也是环境重金属物的巨大储存库，通过土壤胶体吸附、络合和沉淀作用，对重金属污染起缓冲、净化作用（鲁如坤，2000；陈同斌等，2003；Hobbie and Grimm，2020）。

一、土壤物理性质

（一）深圳城市森林土壤微团聚体差异

2020年在典型针叶林、阔叶人工林和次生阔叶林内设置样地，采用随机抽样方法布设样点，分别在每个样点0~10厘米和10~30厘米土层取土用于测定土壤基本养分和有机碳组分，同时采集原状土用于土壤团聚体含量测定。不同森林类型表层土壤间的差异主要体现在微团聚体上（<0.25毫米），亚表层土壤间差异则主要体现在微团聚体和1~2毫米团聚体上。

（二）长株潭城市森林土壤容重和含水率变化

土层容重（0~30厘米平均值）方面：杉木人工林、南酸枣落叶阔叶林、马尾松+石栎针阔混交林、石栎+青冈常绿阔叶林依次为1.40±0.09克/立方厘米、1.34±0.13克/立方厘米、1.32±0.07克/立方厘米、1.28±0.10克/立方厘米。

含水率方面：4种森林土壤两个土层含水率的变化趋势基本一致。均表现为：杉木人工林土壤平均含水率最高（26.62%～26.44%），其次是南酸枣落叶阔叶林（22.26%～25.53%），而马尾松＋石栎针阔混交林（18.33%～20.27%）为最低。湘中丘陵区森林土壤颗粒组成具有南方丘陵区红壤典型质地黏重特征，按中国土壤质地分类标准，4种森林土壤均属于粘壤土。

（三）重庆城市主站点土壤物理性质

主站点土壤主要以紫色土为主，0～10厘米土壤平均容重为1.44克/立方厘米，10～20厘米土壤平均容重为1.37克/立方厘米，20～40厘米土壤平均容重1.33克/立方厘米；0～10厘米土壤平均孔隙度（非毛管孔隙度）为19.8%，10～20厘米土壤平均孔隙度（非毛管孔隙度）为18.58%，20～40厘米土壤平均孔隙度（非毛管孔隙度）为17.48%；0～10厘米土壤入渗率为0.82厘米/分钟，10～20厘米土壤入渗率为0.57厘米/分钟，20～40厘米土壤入渗率为0.28厘米/分钟。

二、土壤化学性质

（一）广州城市森林土壤吸附环境污染物

土壤pH值平均为4.5。土壤有机质平均含量为25.64克/千克（0～100厘米），表层土壤有机质含量为3.458克/千克（0～20厘米），土壤全氮含量为1.37克/千克，全磷含量为0.83克/千克，全钾含量为18.63克/千克。水解性氮含量为61.43毫克/千克，有效磷含量为8.43毫克/千克，速效钾含量为31.4毫克/千克。土壤有机污染物多环芳烃（PAHs）平均含量为512.2微克/千克。在土壤重金属平均含量方面，铅（Pb）为60.3毫克/千克、锌（Zn）为72.52毫克/千克、铜（Cu）为39.22毫克/千克、砷（AS）为8.76毫克/千克，各物质均在国家二级质量标准安全范围之内；镉（Cd）为0.33毫克/千克，超过二级标准值。

（二）深圳城市森林土壤养分含量差异

深圳城市生态站开展了深圳不同植被类型森林土壤有机碳组分和团聚体分布特征调查研究。研究以深圳市针叶林、阔叶人工林和次生阔叶林为对象，对土壤有机碳组分和团聚体含量进行了分析。研究结果表明：3种植被类型表层土壤（0～10厘米）的有机质（OM）和全氮（TN）含量存在显著差异（P<0.05），而亚表层土壤（10~30厘米）养分间的差异均未达到显著水平。不同植被类型土壤各有机碳组分均存在差异（图2-51），表层土壤有机碳组分均高于亚表层，且以活性有机碳含量最高。此外，不同植被类型表层土壤间的差异主要体现在微团聚体上（<0.25毫米），亚表层土壤则主要体现在微团聚体和1~2毫米团聚体上。除表层土壤电导率（EC）与惰性有机碳间的相关性外，两层土壤的EC、OM和TN含量与4种有机碳组分均呈极显著正相关（P<0.001）；土壤>10毫米团聚体对有机碳矿化有显著正向调控，2~5毫米团聚体则表现为显著负影响。由本研究结果得出，3种植被类型土壤养分和有机碳组分含量存在差异，且表层土壤的含量总是高于亚表层；不同土壤团聚体间的差异主要体现在微团聚体上；土壤养分含量是调节有机碳矿化的关键因子。

（三）扬州城市森林土壤养分状况

在各林型样地内采集土样，选取土壤pH、有机碳（OC）、全氮（TN）、全磷（TP）、水解性氮（HN）、有效磷（AP）、速效钾（AK）等指标进行测定（表2-7）。

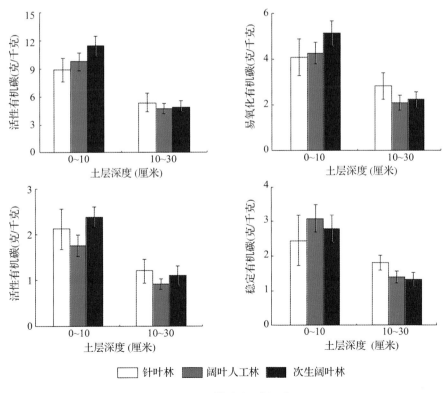

图 2-51　土壤有机碳组分

表 2-7　6 种植被种类森林土壤化学性质

指标 林型	pH	OC （克/千克）	TN （克/千克）	TP （克/千克）	HN （毫克/千克）	AP （毫克/千克）	AK （毫克/千克）
1 号竹林	8.26 ±0.37[b]	6.80 ±0.32[b]	0.57 ±0.05[a]	0.64 ±0.01[a]	70.67 ±0.02[a]	27.72 ±0.01[a]	188.17 ±0.02[a]
2 号水杉林	8.11 ±0.08[a]	7.51 ±0.99	0.60 ±0.11[a]	0.41 ±0.04[a]	91.32 ±0.02[a]	10.11 ±0.01[a]	151.00 ±0.01[a]
3 号茱萸林	8.91 ±0.29[b]	3.37 ±0.37[b]	0.24 ±0.01[a]	0.67 ±0.02[a]	29.96 ±0.01[a]	15.00 ±0.01[a]	182.36 ±0.03[a]
4 号杂阔林	7.14 ±0.07[a]	6.19 ±0.94[c]	0.62 ±0.36[b]	0.64 ±0.07[a]	81.10 ±0.06[a]	13.39 ±0.01[a]	237.68 ±0.02[a]
5 号松柏林	6.26 ±0.30[b]	5.96 ±0.75[b]	0.51 ±0.17[a]	0.53 ±0.06[a]	76.22 ±0.05[a]	16.38 ±0.01[a]	221.90 ±0.01[a]
6 号杂阔林	6.68 ±0.16[a]	13.74 ±0.50[b]	0.85 ±0.19[a]	0.52 ±0.12[a]	46.00 ±0.08[a]	21.52 ±0.01[a]	222.80 ±0.04[a]

注：字母 a、b、c 代表不同植被种类森林土壤理化性质的差异显著性（$P < 0.05$），数据为平均值±标准误差。

　　土壤质量状况分析如下：在 2016 年中华人民共和国住房和城乡建设部颁布的标准《绿化种植土壤》中，针对绿化种植土壤肥力的技术要求制定了相应标准，即土壤 pH 值应在 5.0~8.3 之间，土壤有机碳（OC）含量应在 20~80 克/千克范围内，有效磷（AP）含量应在 5~60 毫克/千克范围内，有效钾（AK）应在 60~300 毫克/千克范围内。将此标准与本研究的 6 种植被种类的森林土壤理化指标进行比对，可得出这 6 种林型城市森林土壤均有不同程度的营养匮乏和不达标情况，具体如下：①pH 值：6 种植被种类的森林土壤 pH 值在 6.26~8.91 之间，其中 3 号山茱萸林的土壤 pH 值超过了标准最高值，碱性程度偏大，可能原因是山茱萸的种植年限较长，没有定期翻土从而导致土壤表层盐分累积造成的。针对 3 号山茱萸林的碱性土壤，应进行深耕深翻，使分布在表土层的盐翻到耕层下边，把下层含盐较少的土壤翻到表面。同时翻耕能疏松耕层，切断土壤毛细管，减弱土壤水分蒸发，可有效地控制土壤返盐。此外，还应定期增施有机肥。偏碱性的土壤一般有低温、结构差的特点，有机肥经微生物分解、转化形成腐殖质，能提高土壤的缓冲能力，并可和碳酸钠作用形成腐殖酸钠，从而降低土壤碱性。②土壤有机碳（OC）：土壤有机碳是影响土壤理化性质、改善土壤结构和提高土壤肥力的关键因子。由结果可知，这 6 种林型的土壤有机碳含量均未达到标准的最低值 20 克/千克，说明该区域内土壤最基本的营养物质有机质极度匮乏，可能是近年来该地区绿化养护和施肥管理水平欠缺导致的。因此，建议及时施用有机肥。施用有机肥不仅可增加土壤有机质含量，促进团粒结构的形成，改善土壤的物理性状，还能提高土壤的蓄水保水能力和改善其温度状况，从而提高土壤蓄积和调节养分的能力。③土壤有效磷（AP）和有效钾（AK）：在标准《绿化种植土壤》中，有效磷（AP）含量应在5~60毫克/千克范围内。虽然6种不同植被种类的森林土壤有效磷和有效钾的含量均在标准范围内，但其中有效磷的数值均偏低，在10.11~27.72毫克/千克之间，均在标准均值以下。土壤有效磷是检验土壤肥力的重要标志，而且与土壤微生物的活性和土壤磷矿化过程密切相关。针对有效磷含量偏低的现状，应对其合理施用磷肥。通常将磷肥划分为水溶性磷肥、弱酸溶性磷肥和难溶性磷肥三大类。土壤酸碱度对不同品种磷肥的作用不同，弱酸溶性磷肥和难溶性磷肥应施在酸性土壤上，而水溶性磷肥则应施在中性及石灰性土壤上。1号竹林、2号水杉林、3号荼萸林和4号杂阔林土壤偏碱性，需要施用水溶性磷肥；5号松柏林和6号杂阔林土壤呈酸性，需要施用弱酸性磷肥。土壤偏碱、土壤有机质的缺乏及有效磷含量偏低是限制该区域森林土壤健康发展的重要因子。建议在今后的城市森林养护中，应更加重视土壤的养护管理，根据土壤理化指标的实际情况合理施用有机肥、磷肥。

（四）长株潭城市森林土壤碳氮磷含量变化

①湘中丘陵区4种森林土壤pH值在4.55~4.69之间，呈酸性。②全氮：0~15厘米土层全氮平均含量在1.12~1.65克/千克之间，平均值为1.40克/千克；15~30厘米土层全氮平均含量在0.96~1.33克/千克之间，平均值为1.11克/千克；0~30厘米土层均值为1.26克/千克。水解氮：0~15厘米土层水解氮的平均含量在54.39~77.93毫克/千克之间，平均值为64.24毫克/千克；15~30厘米土层平均含量在37.95~64.36毫克/千克之间，平均值为49.26毫克/千克，土层之间的差异均达到显著水平（$P<0.05$）；0~30厘米土层均值为56.75毫克/千克。③全磷：0~15厘米土层全磷平均含量在0.20~0.29克/千克之间，平均值为0.24克/千克；15~30厘米土层全磷平均含量在0.19~0.27克/千克之间，平均值为0.22克/千克；0~30厘米土层均值为0.23克/千克。有效磷：0~15厘米土层有效磷平均含量在1.96~2.73毫克/千克之间，平均值为2.37毫克/千克，变异系数为13.39%；15~30厘米土层有效磷平均含量在1.35~2.15毫克/千克之间，平均值为1.88毫克/千克，变异系数为19.14%，土层之间的差异均达到显著水平（$P<0.05$）；0~30厘米土层均值为2.12毫克/千克。④全钾：0~15厘米土层全钾平均含量在4.91~5.82克/千克之间，平均值

为 5.36 克/千克；15~30 厘米土层全钾平均含量在 4.66~5.76 克/千克之间，平均值为 5.24 克/千克，土层之间的差异均不显著（$P>0.05$）；0~30 厘米土层均值为 5.3 克/千克。速效钾：0~15 厘米土层速效钾平均含量在 52.55~69.30 毫克/千克之间，平均值为 57.90 毫克/千克，变异系数为 13.52%；15~30 厘米土层速效钾平均含量在 42.13~57.75 毫克/千克之间，平均值为 48.75 毫克/千克，变异系数为 13.79%，土层之间的差异均达到显著水平（$P<0.05$）；0~30 厘米土层均值为 53.32 毫克/千克。

第三章 城市生态空间社会服务功能

第一节 服务地方建设

城市生态站建设的宗旨是研究城市中森林、湿地、绿地等生态空间对城市环境的影响与响应，为科学建设和使用城市森林、湿地、绿地等生态空间提供理论依据和技术支撑。通过城市生态站长期的定位观测，观测数据与分析结果可以有效指导城市生态建设，提高公众生态文明意识。

一、提供咨询服务

上海站完成了《上海市森林生态连清体系监测布局与网络建设研究》，充分反映了上海城市森林建设成果，为在市域尺度上构建一个观测站布局合理、观测技术先进、信息处理和发布设施完善的森林生态连清体系监测网络奠定了基础。

扬州站协助地方政府和环境管理部门制定了水污染生态修复方案。共同制定长江及京杭大运河等重点跨界水体联保专项治理方案，配合开展废水循环利用和污染物集中处理，建立长江、淮河等干流跨省联防联控机制，全面加强水污染治理协作。

广州城市站为广州市林业和园林局完成了广州市城市森林生态系统效益监测年度报告、广州国家森林城市建设生态监测年度报告、2019年广州市城市林业生态服务公报和广州市绿地系统规划编制等工作。对广州市的鸟类、城市公园的碳存储、城市热岛效应与城市绿地耦合分析、城市不同下垫面对暴雨径流中的物质的净化效果、城市绿化对大气环境污染物的净化效应等方面进行监测与总结，为广州林业和园林绿化事业提供决策和技术咨询服务。

二、提供技术服务

(一) 上海城市站研究提出植物配置消减大气污染技术

以面积为 300 平方米的绿地为例，为了达到较好的净化空气的效果，应配置 12~15 株乔木 (如香樟、广玉兰、银杏、悬铃木、水杉等)，30 株左右的大灌木 (如夹竹桃、红叶李、慈孝竹、石楠等) 及 80 株左右小灌木 (如杜鹃、月季、小叶黄杨等)，并搭配至少 100 平方米的草本植物；乔木、大灌木、小灌木的比例维持在 1：2：5。在排列上，小灌木应栽植在样地靠近道路一侧，其后是大灌木或乔木；大灌木应搭配在乔木之间，尽量避免与乔木冠幅重合。这样配置的植物群落，约能阻挡交通污染物中 30%~40% 的颗粒物 (TSP)，10%~20% 的 SO_2 和 NO_2，5~10 分贝的噪声污染。

(二) 广州城市生态站研究提出城市林业和园林有害生物防控技术

(1) 开展林业和园林普通病虫害检测和防治、林业重要外来入侵有害生物防治、树木褐根病检测和防治、白蚁监测防治、红火蚁疫情普查和防治及林业和园林植物病虫无公害防治技术应用等研究。

(2) 依托园林植物保护技术研究，构建了园林绿地有害生物预警防控网络体系，开发了广州园林植物主要有害生物信息管理系统和林业园林有害生物普查数据采集及管理系统，积累了大量园林植物有害生物的图文信息，为园林绿化管理者提供准确、及时、高效的信息和意见参考来源，为广州市创建"园林生态城市"提供技术保障。

(3) 开展林业园林有害生物普查，进行重要园林病虫害综合防控研究。

(三) 广州城市生态站研究提出城市古树保护复壮技术

应用于城市古树名木 (大树) 保护技术研究，逐步形成了以树龄鉴定、GPS 定位、健康状况评估、立地环境改造及抢救复壮、树洞修补、病虫害及白蚁防治为主体的古树名木保护核心技术体系，该技术体系处于全国领先水平，已成功应用于多个城市古树名木 (大树) 的保护工作。

(四) 长株潭城市群生态站建立地方观测技术标准

为更好规范城市森林监测技术，提升城市风景游憩质量，提高城市居民生活水平，长株潭生态站制定了 3 项地方标准。《城市森林负 (氧) 离子观测技术规范》(DB43/T 1648—2020)标准规定了城市森林空气负(氧)离子浓度观测原则、观测场选择与编码、观测设备主要技术参数、数据采集传输存储、观测指标内容、数据处理、等级划分、观测系统维护等技术要求，适用于城市森林空气负(氧)离子浓度观测。《城市森林生态效益监测技术规范》(DB43/T 1647—2020)标准规定了生态效益监测站(点)的选择与布设、监测指标、监测方法以及监测数据质量等要求，为城市森林生态系统生态效益监测工作提供规范。《长株潭地区风景游憩林建设技术指南》(DB43/T 1649—2020)标准规定了风景游憩林建设的建设思路、建设原则、规划设计、树种选择与配置、造林技术、抚育管护、检查验收、档案管理等，适用于风景游憩林建设与经营管理。

三、提供科学数据和公众科普素材

城市生态站可为当地环保等部门提供环境监测数据，并向公众展示、普及环境知识，提高全民环保意识，共同保护美好家园。

扬州站向环保部门提供气象常规数据、负氧离子、紫外辐射及空气中NO_x、$PM_{2.5}$、SO_2、O_3浓度等数据。

重庆城市生态站主站点和辅站点所监测空气负氧离子数据每日在重庆市林业局网站进行发布，是重庆市"最美森林氧吧"等活动评选数据量化的重要参考，对全市森林旅游、森林康养产业和生态文明建设发展起到了积极的促进作用。

广州城市生态站主要团队每年对城市中植物标准样地及城市绿道进行巡查，普查数据及时上传到广州市林业和园林局"数字绿化"园林绿化专题数据库进行规范化管理。

第二节　科普宣传服务

科普越来越受到社会的关注，科研人员及科研工作应该更好地开展科普工作，服务于创新型国家建设。城市生态站的建设有利于构建国家城市生态系统观测网络体系，形成开放、合作的科研平台，为国家城市群的健康发展和生态空间建设管理提供生态基础数据和技术服务，也有利于建设城市生态系统体验式科普教育基地，推动生态文明教育为公众服务，切实增强居民的生态文明意识，促进生态环境与城市提质的良性互动，完善城市生态环境管理制定。

一、城市生态站获得各类科普基地授牌情况

广州城市生态站成为了中国风景园林学会科普基地、广东省自然教育基地、广州城市林业自然教育基地的重要科研展示平台。深圳城市生态站也是广东省、深圳市的科普教育基地，上海、杭州、重庆、西安、长沙、南昌、扬州等城市生态站先后获得全国自然教育学校（基地）、全国科普教育基地、全国中小学环境教育社会实践基地、国家生态文明教育基地、全国中小学生研学实践教育基地授牌。以生态站平台为基础，开发"城市森林探秘之旅"户外研学课程，承办"城市森林自然科普集市"科普实验。各城市生态站均是各城市重要的自然教育、科普宣传的平台，努力实现科学研究与科普教育资源共享和优势互补，促进城市科学普及事业的发展。

二、城市生态站培训和接待科普人员情况

城市生态站利用科研平台开展科普教育人数达 407.5 万人次，开展科技培训人数达 12170 人，为中小学生普及科技知识达 89010 人，印发科技宣传资料达 83600 份（表 3-1）。

城市生态站已成为了城市生态文明建设开放的一个重要窗口，每年接待国内外参观考察学习约 8.5 万人，城市生态站的建设受到国家科技部、国家林业和草原局及地方政府等各级领导的关心和支持。同时也作为合作开放的科研平台，与各科研院所及高校开展交流，上海城市生态站成为上海国际暑期学校的重要考察实习点。

表 3-1　城市生态站科普宣传教育情况汇总（2019 年）

城市站	科普教育人数 （万人）	科技培训人数 （人）	中小学教育人数 （人）	科普宣传资料 （册）
广州城市生态站	100	6000	50000	60000
杭州城市生态站	200			
上海城市生态站	0.2	100	1000	200
深圳城市生态站	73	420	710	6000
太原城市生态站	0.5			200
西安城市生态站	0.3		2000	1000

（续）

城市站	科普教育人数（万人）	科技培训人数（人）	中小学教育人数（人）	科普宣传资料（册）
扬州城市生态站	30	4000	30000	10000
长株潭城市生态站	2	1000	5000	5000
郑州城市生态站	0.5	500	300	1000
重庆城市生态站	1	150		200
合计	407.5	12170	89010	83600

第三节　合作交流活动

一、合作交流

各城市生态站注重开展国内国际合作交流，尤其是与当地政府环保部门和科研院所的交流合作，实现技术与资源共享。例如，杭州站积极参与浙江省政府清新空气网络体系建设工作，作为浙江林业清新空气功能站点建设技术支撑单位，结合国家林业和草原局空气负离子监测试点工作，完善了浙江林业负离子监测技术及布局，开展了全省林业功能站点入网审核及数据审核工作，参与了省政府清新空气（负氧离子）监测发布工作，与气象、环保等部门合作，共同制定了《空气负氧离子观测与评价技术规范》（DB33/T 2226—2019），发布了《浙江省公益林建设与效益公报》；同时积极与世界银行组织开展合作，参与世界银行贷款生物多样性和土壤侵蚀监测项目。长株潭站全面参与省内生态观测、规划设计及科技咨询服务。2019年度与株洲茶陵合作开展茶陵云阳国家森林公园总体规划修编调规项目，和长沙市林业局合作开展长沙市古树名木资源普查内业整理服务项目，合同金额103.7万元。坚持持续开展涉及园林、生态领域的科技咨询、讲座、鉴定等科技服务工作，科技影响力持续增大。西安站与陕西省发展和改革委员会、生态环境厅以及西安市自然资源局开展合作，先后承担陕西省国土空间规划专题"陕西省生态环境承载力生态空间格局（含生态保护红线）""西安泾渭湿地自然保护区能力建设暨综合科学考察""西安泾渭湿地自然保护区环境本底调查"等项目，积极参与地方生态文明建设。

二、会议情况

2019 年 5 月 30~31 日，"国家林业和草原局城市生态站研讨会暨城市森林国家创新联盟成立大会"在广州召开。会议由中国林业科学研究院林业研究所、国家林业和草原局生态站专业委员会、国家林业和草原局城市森林研究中心、广州市林业和园林科学研究院主办，广州市林业和园林科学研究院、广东省生态工程职业学院承办。国家科技部基础司、国家林业和草原局生态保护修复司和科学技术司、中国林业科学研究院及广东省、广州市林业部门相关领导出席了会议。来自复旦大学、北京林业大学、香港大学中国发展国际中心、中国科学院生态环境研究中心、中国林业科学研究院、加拿大英属哥伦比亚大学林学院、美国林务局巴尔的摩生态站、美国卡里生态系统研究学院等国内外科研院所、高校代表 120 余人参加了本次会议。本次研讨会围绕城市生态站建设管理和研究，由中国林业科学研究院林业研究所研究员王成、美国巴尔的摩城市生态站站长 Morgan Grove 教授等专家分别就中国城市生态站建设及研究热点、美国巴尔的摩城市生态站的建设与管理、城市生态系统监控与评估典型内容与方法做了精彩报告。本次会议由中国林业科学研究院林业研究所牵头，35 家高校、科研院所和企业共同发起成立了"城市森林国家创新联盟"，创新联盟理事长由中国林业科学研究院林业研究所王成研究员担任。

2019 年 12 月 4 日至 6 日，国家林业和草原局生态定位观测网络管理中心在上海组织召开了"城市森林服务功能监测与评估研讨会"。研讨会由上海城市森林生态系统国家定位观测研究站、国家林业和草原城市森林研究中心、国家林业和草原局城市生态站专业委员会共同承办，来自长株潭、上海、杭州、广州等 15 个城市生态站的专家技术人员参加会议。会议依据城市森林相关政府管理部门、民众、建设与研究人员等利益相关者的期望与需求，补充完善了城市生态站服务功能与指标体系，突出了城市森林格局、净化大气、生物多样性保育、游憩康养、缓解热岛、土壤保育、研学科教等方面内容。未来将深入细化、统一城市森林生态系统服务功能监测与评价相关指标观测技术与分析方法，指导各个城市生态站开展监测与评估工作，争取定期发布监测评估报告，为科学规划、建设、管理城市森林，更好地享受森林城市建设成果提供技术服务。

　　各城市生态站还积极组织、参与国际国内的技术培训和学术交流会议，有效提高了野外观测业务水平，拓宽了科研视野。例如，杭州站组织参加了 2019 年 3 月在长白山召开的全国林业气象观测技术培训与交流会；杭州站、广州站等组织参加了于 2019 年 8 月在浙江召开的全国空气负氧离子监测试点技术研讨会；广州站、深圳站、温州站、西安站等组织参加了 2019 年 11 月在北京召开的 China flux 第十四次通量观测理论与技术培训会议暨首届全国生态系统观测研究科学大会；广州站、西安站组织参加了 2019 年 11 月昆明召开的"第十八届中国生态大会"；广州站组织参加了 2019 年 9 月召开的"粤港澳大湾区森林生态与人居环境"学术交流会、湿地保护管理及国际重要湿地知识讲座等；西安站于 2020 年 11 月参与组织举办了陕西省首届"黄河论坛"等。

第四章　城市生态空间生态系统研究与建议

基于城市生态站研究揭示的城市生态空间与大气环境、热场、生物多样性、居民身心健康的关系，对今后的城市生态建设和科学研究提出如下建议。

第一节　对政府和市民的建议

一、重视城市生态空间的"自给自足"

城市森林树木具有改善城市生态环境的重要功能，特别是就地缓解城市发展带来的各种污染问题，并且为城市居民提供就近休闲游憩的生态空间和优美自然景观，为城市居民需要的天蓝、地绿、水清的良好生态环境做贡献，这种良好生态环境是外运不来的，主要靠城市自己解决。因此，在国土空间规划中，要抛开林地、湿地、绿地等是行业部门用地的传统观念，从提供普惠式生态服务的角度，把城市森林、湿地、绿地等作为城市有生命的生态基础设施来保护恢复和规划建设，让城市拥有总量适宜、布局均衡、结构合理的生态空间。

二、重视提高城市森林生物多样性

人与自然和谐的城市才是健康宜居的城市。许多城市有着丰富多样的生物，甚至还处于生物多样性的热点地区之中，或是迁徙物种重要的中转栖息地。城市建筑物密集区和人为绿色空间内本土鸟类物种数量比自然生态系统区域的少，但通过适当的措施，种植各种果树、有浆果的灌木及人类友好管护理念等会吸引鸟类到城市中来。

三、重视城市病虫害的生物防治

城市公园病虫害防治等养护措施对昆虫种群影响明显。在一些城市的调查过程中，发现为了控制登革热疾病的传播，降低传播媒介蚊子的数量，各公园都频繁喷洒杀虫药剂、排空水池，不可避免地杀死了昆虫。因此，在城市公园的日常管理工作中，应尽量降低这类人为活动对环境的破坏，尽量采用无毒或低毒无残留的农药。在城市公园一些重要的昆虫生境，最好采用生物防控措施，最大可能减少对昆虫多样性的影响。

四、重视城市生态站建设

城市生态站研究的是人口密集城市地区的自然生态系统功能及其演变，不能把生态站当做纯粹的科研站，而更主要是为市民提高森林、湿地、动物、昆虫、鸟类等各类知识的生态科普站，让市民感受城市森林、湿地、绿地等生态空间环境的自然体验站，给市民提供城市生态休闲游憩场所四季景观预报、游憩环境质量预报的服务站，是现代化智慧城市的重要内容。要提高对城市生态系统长期定位观测和研究重要性的认识，制定相关支持政策和经费投入力度，确保生态站的高质量运行。

第二节　对城市生态站的建议

一、注意观测数据的系统性和规范性

城市生态站各站点要认真对照中华人民共和国林业行业标准《城市生态系统定位观测指标体系》（LY/T 2990—2018）落实研究、监测和数据上交等工作，便于后续年报撰写，增加不同站点间的可比性；硬性指标的监测要提高准确性、完整性和规范性。

二、加强生态站之间的协作研究

城市生态站专家委员会将联合城市森林国家创新联盟、中国林学会城市森林分会等平台，加强全国层面的站点沟通与合作交流，瞄准国际与行业理论前沿，鼓励开展探索性的、跨站点的协同研究，凸显城市站的后发

优势，更好地落实为"城市"服务的宗旨。重点聚焦城市森林、公园绿地、城市湿地等自然生态系统，紧密围绕"城市森林、人居环境、公众健康"开展相关的观测研究工作，观测研究内容指标需与人相关，突出城市森林在改善城市人居环境，提升市民幸福指数的作用，促进生态环境与城市提质的良性互动，提高城市人居环境质量，最终为生态环境保护、完善生态环境管理制度、开展自然资源资产管理提供基础支撑。

三、关注城市外来物种的生态影响研究

城市生物多样性不仅与城市绿地系统、河湖水系湿地、绿色基础设施、生态保护红线等生态系统、生态空间有关，还与外来物种入侵密切相关。在城市生态监测中要加强外来入侵物种的监测，跟踪调查外来入侵物种及其入侵路径并确定优先次序，加以管理以防止外来入侵物种的引进和种群建立。

四、加强森林城市和森林城市群建设实用技术研发

城市生态站既要加强基础研究，也要注重把论文写在大地上。要结合国家森林城市建设、生态园林城市建设的理论与技术需求，结合生态学原理创新城市生态监测评估技术，研制、开发城市森林、湿地、绿地建设急需的生态技术、生态工艺，为生产实践提供具体理论和技术支撑，扩大生态站的影响力和支持度(王成，2016a)。

五、加强生态站队伍建设

根据城市生态系统观测研究的特点和发展趋势，进一步整合和完善队伍，引入城市生态学领域知名领军人才，加大规划、人文和社科领域优秀人才的引进，形成多学科交叉融合的城市生态学研究队伍。注重合作研究，充分利用外部力量提高生态站研究水平。

第五章　粤港澳大湾区城市森林与人居环境

第一节　研究背景

一、区域背景

粤港澳大湾区是国际上继纽约、旧金山和东京湾区之后，第 4 个世界级湾区城市群。2019 年区内城市化水平达 81.6%；人口密度高，2019 年末常住人口为 7264.92 万人，人口密度为 1299 人/平方公里；经济总量大，2019 年整体实现地区生产总值 11.62 万亿元，人均 GDP 已达 16.15 万元；治理模式特殊，属于南亚热带季风气候，拥有着山水林田城海的复杂土地利用方式。

近些年来，党和政府对粤港澳大湾区生态保护修复工作始终高度重视，制定出台了一系列政策和措施。2019 年 2 月，《粤港澳大湾区发展规划纲要》经党中央、国务院同意正式公开发布，这份纲领性文件对粤港澳大湾区的战略定位、发展目标、空间布局等方面作了全面规划。2019 年 7 月，《广东省推进粤港澳大湾区建设三年行动计划（2018—2020 年）》明确提出要推进生态文明建设。比如加快建成珠三角国家森林城市群，推进珠三角绿色生态水网建设，建设一批国家级、省级湿地公园和森林公园；强化与港澳水生态环境领域合作；加强城市绿道、森林湿地步道等公共慢行系统建设。

二、数据来源

以粤港澳大湾区的广东广州城市生态站、广东深圳城市生态站、广东珠江口城市群生态站、珠江三角洲森林生态站、广州市南沙湿地红树林生态站、珠海淇澳岛红树林生物多样性监测项目（2015—2017）和福田红树林保护区管理局的监测数据和研究成果为基础，结合粤港澳大湾区森林资源变化的多尺度、多角度分析，揭示和评价大湾区域森林、湿地等生态空间的环境协调、承载能力，以及提供宜居环境、生态文化和康养保健场所的水平和服务功能。

第二节　粤港澳大湾区生态空间变化

一、生态空间数量变化

（一）森林面积

2016 年珠三角城市群森林覆盖率为 51.50%，至 2020 年为 51.72%。2018 年珠三角地区九市全部建成国家森林城市，实现了"国家森林城市"全覆盖，"珠三角国家森林城市群"雏形初现，为粤港澳大湾区全面建设构建了生态安全新格局。珠三角地区森林主要分布在东、西、北部外围的山地屏障带。根据全国第九次一类清查数据，香港的森林覆盖率为 25.05%，澳门的森林覆盖率为 30.00%。

（二）湿地面积

湿地资源则主要分布在珠江三角洲冲积平原，总面积 79 万公顷，占广东省湿地总面积的 45.00%。其中，自然湿地 47.80 万公顷，占珠三角湿地总面积的 60.50%；人工湿地 31.20 万公顷，占珠三角湿地总面积 39.50%。通过近 5 年湿地保护小区和湿地公园建设，2020 年珠三角地区湿地面积占比 14.40%，湿地保护率 85.70%，较 2015 年提升 18.10%。

二、生态空间格局变化

（一）城区生态空间比重差异

2015 年珠三角城市群城区绿化覆盖率达到 42.80%，人均公园绿地面积为 19.20 平方米。经过近年城区绿化建设，除深圳外其他各个城市的城区绿化覆盖率均有提升。至 2019 年，珠三角城市群地区绿化覆盖率达到 44.64%，各城市绿化覆盖率均在 40.00% 以上，人均公园绿地面积 20.01

平方米(表5-1)。

表5-1　珠三角城市群各城市城区绿化覆盖率和人均公园绿地面积

区域	城区绿化覆盖率(%)		城区人均公园绿地面积(平方米)	
	2015	2019	2015	2019
珠三角	42.8	44.6	19.2	20.0
广州	41.5	42.3	16.5	17.3
深圳	45.0	43.0	16.8	14.9
珠海	52.6	52.0	19.5	21.2
佛山	40.4	45.6	14.3	18.2
惠州	41.2	45.0	17.7	18.0
东莞	50.5	47.6	23.2	23.2
中山	40.1	43.1	17.0	18.6
江门	43.6	45.3	17.6	17.9
肇庆	42.3	43.7	16.6	23.3

注：相关数据来自《珠三角国家森林城市群建设规划(2016—2020年)》及网络查询。

(二)城市生态斑块结构变化

以深圳市监测研究为例，对深圳市2009年和2013年两个时期景观要素进行分析，景观要素按土地利用类型划分，分为草地、园地、水域及水利设施用地、林地、城镇村及工矿用地、交通运输用地、耕地、其他土地8种类型。

2009—2013年，整体土地利用趋向破碎化，建设空间趋向集中连片。深圳市主要景观背景由城镇村及工矿用地、林地和园地组成。2009年，三者面积比例占城市景观总面积79.63%，到2013年三者所占比例达到80.78%。其中林地，2009年为58740.66公顷，2013年为58350.80公顷，占城市景观总面积的比例由29.42%减少至29.15%。

从斑块结构来分析，草地景观斑块2009年数量为6659个，2013年斑块数量为6534个，草地景观斑块密度由2009年的3.33个/百公顷下降至2013年的3.26个/百公顷；而园地斑块数量由2009年的5516个上升为7837个，斑块密度由2.76个/百公顷增加至3.91个/百公顷，但是园地总面积反而减少了2591.49公顷，说明深圳市在增加园地数量的同时，园地面积受到了侵占；林地斑块数量由6779个上升至11294个，密度也由3.40个/百公顷上升至5.64个/百公顷，面积略微减少了389.86公顷。因此，从园地和林地的斑块结构变化趋势来看，深圳市生态景观格局在 2009 年至 2013 年间逐步破碎化和多样化（表 5-2）。

表 5-2　2009—2013 年深圳市景观斑块数、面积、景观比例对比

类别	斑块数（个）		面积（公顷）		斑块密度（个/百公顷）		景观比例（%）		面积增减（公顷）
	2009	2013	2009	2013	2009	2013	2009	2013	2009—2013
草地	6659	6534	3291.36	2654.44	3.33	3.26	1.65	1.33	-636.92
园地	5516	7837	23709.17	21117.68	2.76	3.91	11.87	10.55	-2591.49
水域及水利设施用地	26935	24896	16772.29	15857.59	13.49	12.43	8.40	7.92	-914.70
林地	6779	11294	58740.66	58350.80	3.40	5.64	29.42	29.15	-389.86
城镇村及工矿用地	14355	14652	76549.69	82246.71	7.19	7.32	38.34	41.08	5697.02
交通运输用地	47663	50705	8853.53	9985.52	23.87	25.33	4.43	4.99	1131.99
耕地	4421	5220	3295.14	4232.40	2.21	2.61	1.65	2.11	937.26
其他土地	6448	9411	8462.06	5743.59	3.23	4.70	4.24	2.87	-2718.47
合计	118776	130549	199673.90	200188.73	59.49	65.21	100.00	100.00	514.83

（三）区域生态廊道变化

珠三角地区各个城市大力推进生态景观林带建设，2015 年已建设高速公路、铁路生态景观林带 4149 公里，江河、沿海生态景观林带 763 公里。主要江河及部分大中型水库周边已经相继实施了水源涵养林和水土保持林工程建设，新造林面积 7.68 万公顷，水土流失现象得到有效遏制。沿海防护林带初见规模，现有红树林消浪林带约 2403.8 公顷，沿海岸基干林带约 2706.6 公顷，纵深沿海防护林约 35847.3 公顷。

近年来，珠三角地区相继实施带状森林和生态廊道建设，共新建生态景观林带 762.6 公里，提升生态景观林带 5860 公里、绿道 4300 公里。如广州市在东部建设百里生态长廊，构建"生态廊道—组团隔离带—城市绿道"的三级城市生态廊道体系；深圳市建设 18 条城市大型绿廊，承担市域大型生物通道的功能；佛山市大力发展滨河带状森林建设，建成 30 公里长的滨河景观带。

三、生态休闲空间变化

(一)自然公园

2015 年，珠三角地区建设森林公园 221 处，面积 37.77 万公顷，占国土面积 6.90%，其中国家级 11 处，省级 34 处，市县级 176 处。已建成各类湿地公园 67 个，其中，国家湿地公园 5 个(3 个试点)，省级湿地公园 1 个，市县(区)级湿地公园 61 个。已建自然保护区 85 个，其中，国家级自然保护区 5 个，省级自然保护区 17 个，市、县级自然保护区 63 个，管护面积 22.10 万公顷，占国土面积的 4.03%。至 2020 年，珠三角地区又建设完成森林公园 157 个，湿地公园 127 个。

(二)城市公园

珠三角地区以国家森林城市群为抓手，不断加强公园体系建设。2015 年珠三角地区人均公园绿地面积 19.20 平方米，公园绿地 500 米服务半径对建成区的覆盖率为 64.10%。到 2020 年又新建 717 处街心公园，人均公园绿地面积也增长到 20.01 平方米，公园绿地 500 米服务半径覆盖率为 90%。其中 2019 年深圳市公园总数达 1090 个，公园绿地面积达到 20077 公顷(图 5-1)，人均公园绿地面积 14.94 平方米，公园绿地服务半径覆盖率达 90.87%，市民出门 500 米可达社区公园，2 公里可达城市综合公园，5 公里可达自然公园，这些生态福利大大提高了市民的幸福指数。

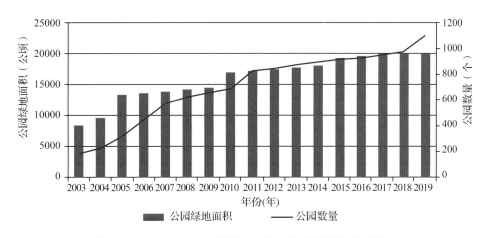

图 5-1　2003—2019 年深圳市公园绿地面积和公园数量

(三) 绿道网络

珠三角地区的绿道网建设是国内较早且规模最大的绿道建设实践，已经构建起了完整、连续的省级–城市绿道网络。

1. 广州市绿道建设

广州市自 2010 年，按照广东省的统一规划和部署，围绕建设生态城市宜居城乡的目标，坚持"政府引导、社会参与、市区联动、部门配合"的原则，把绿道网作为建设幸福广州的重要民生实事来抓，绿道成为城市新的绿色基础设施，成为服务民生、让市民享受慢生活的新品牌，深受市民和社会各界好评。广州市绿道依托广州"山、水、城、田、海"的自然格局，规划建设流溪河、芙蓉嶂、增江、天麓湖、莲花山、滨海等多条绿道，各区、县级市发挥自然特色资源优势，建设远郊山体、城市公园、近郊田园、南部滨海等绿道，共计 3493.69 公里（图 5-2）。按不同绿地类型对广州市绿道进行分类统计，道路型绿道占全市绿道 76%，是所有类型中占比最大的。根据所处区位及环境景观风貌，广州绿道分为城镇型绿道和郊野型绿道两类，里程长度分别为 2008.21 公里、1485.48 公里。绿道从

黄埔区科学城科学广场绿道　　　　　　　广州临江大道绿道

广州二沙岛艺术公园绿道　　　　　　　广州花都湖绿道

图 5-2　广州市典型绿道

东到西，由北往南，形成贯穿城乡的网络体系。绿道沿线设有驿站(服务点)、休息点等配套设施，印制发放绿道攻略、地图、指引等，让市民了解绿道、使用绿道、爱护绿道，提高绿道使用率。

2019 年，广州市提出打造"云道"(空中步道)，实现白云山、花果山、越秀山三处地区的八公里路径联通，串联白云山、广州花园、云台花园、麓湖公园、雕塑公园、花果山公园、越秀公园、中山纪念堂等 8 大城市公园，实现城市不同景观共存，从半空中感受广州的绿树花海蓝天，是市民最好的休闲去处(图 5-3)。

图 5-3　广州市典型云道

2. 广州市绿道格局特征

结合文献法与外业调查法，对广州市绿道的布局、类型、里程、植物组成和格局特征 5 个方面进行分析，并从生态效益、社会效益、文化效益三个方面对其进行评价。广州市绿道建成长度现已超过 3200 公里，老城区相比于外围新城区的人均绿道长度低，而建设密度高；绿道中乔木层以细叶榕(*Ficus microcarpa*)种植比例最大(21.4%)，其次为羊蹄甲(*Bauhinia purpurea*)(8.8%)、杧果(*Mangifera indica*)(8.1%)、香樟(5.4%)、凤凰木(*Delonix regia*)(4.8%)；格局整体表现为人口经济越集中，绿道网状结构越完整，其连通性与可达性越好。从功能上看，绿道发挥了自然、社会、文化等多方面的效益，改善了广州市居民生活环境质量，有利于提升城市居民的幸福感；从内涵延展上看，南粤古驿道的活化利用和碧道工程的相继提出带来了新的活力与效益，有利于绿道品质提升。经过十年的建设，广州绿道在结构、功能和内涵上都获得显著提升。因此，继续推进绿道建设与品质升级，将对广州市更好地实现"美丽宜居花城"的宏伟目标以及对粤港澳大湾区更快地建成国际森林城市群具有促进作用。

3. 深圳市绿道建设

深圳于 2010 年全面启动绿道网建设。至 2020 年 12 月，深圳共建成各类绿道 2462.75 公里，其中省立绿道 354.29 公里、城市绿道 990.10 公里、社区绿道 1118.36 公里。形成了以区域绿道为骨干，城市绿道为支撑，社区绿道为补充的三级绿道网络体系(图 5-4)。

图 5-4　深圳市福荣绿道(上)和福田河绿道(下)

四、典型城市森林质量变化

（一）森林蓄积量

以深圳市监测研究为例，近年来随着深圳市持续加强森林资源的保护与林分改造，森林资源质量不断提高，蓄积量成倍增加。全市森林覆盖率从 1991 年的 45.40% 下降至 2015 年的 40.92%，总体下降了 4.48%，但活立木总蓄积量从 1991 年的 1695568 立方米上升至 2015 年的 3861717 立方米（表 5-3），总体增加 127.75%，表明林分质量显著提高。

表 5-3　深圳市 1991—2015 年森林资源统计

年份	林业用地面积 （公顷）	有林地面积 （公顷）	活立木总蓄积量 （立方米）	森林覆盖率 （%）
1991	97405.7	73283.1	1695568	45.40
1995	91020.0	75990.0	971100	46.00
2000	87239.0	79463.2	1317822	47.40
2005	79731.6	72534.7	2106852	39.20
2010	77841.7	73200.4	2553930	39.90
2015	68662.5	66345.0	3861717	40.92

注：有林地包括乔木林、竹林和红树林。

（二）森林资源自然度

以深圳市监测研究为例，从深圳市 2015 年的森林自然度来看，森林自然度以 Ⅱ、Ⅲ、Ⅳ 级别为主，面积占森林总面积的 81.21%，自然度 Ⅰ 级的森林主要分布在大鹏半岛，自然度 Ⅴ 级的森林主要分布在深圳西部地区。通过大力实施林相改造、森林抚育等重点工程，森林自然度维持稳定，略有提升，深圳森林自然度仍以 Ⅱ、Ⅲ、Ⅳ 级别为主，自然度 Ⅰ 级的森林仍主要分布在大鹏半岛，自然度 Ⅴ 级的森林仍主要分布在深圳西部地区。

（三）森林林龄构成

从深圳市 2015 年森林龄组结构来看，乔木林中幼龄林比重最大，面积为 33308.6 公顷，占 50.35%；过熟林面积最小，为 1440.9 公顷，占 2.18%。广州市各优势树种的林龄，中龄林面积最大，占 37.55%，幼龄林占 20.04%，过熟林面积最小，占 4.71%。

（四）森林树种结构

从深圳市 2015 年树种组成来看，单一树种构成的纯林面积占比超1/4。全市乔木林面积 66320.2 公顷，纯林面积占 27.30%；其中，杉木（*Cunninghamia lanceolata*）纯林面积 24.8 公顷，占乔木林面积 0.04%，分布在宝安区、龙岗区、大鹏新区；马尾松（*Pinus massoniana*）纯林面积 40公顷，占 0.02%，分布在龙岗区、大鹏新区；桉树纯林面积 2071.7 公顷，占 3.12%，除盐田区外，各区均有分布，主要集中在龙岗区、宝安区、坪山区；速生相思纯林面积 5049.3 公顷，占 7.61%，各区均有分布，主要集中在龙岗区、大鹏新区、罗湖区；黧蒴纯林面积 125 公顷，占 0.19%，分布在大鹏新区、龙岗区、罗湖区、宝安区；荔枝、龙眼及木本果纯林面积 10776.1 公顷，占 16.25%，各区均有分布，主要集中在南山区、宝安区、光明新区、龙岗区、大鹏新区。

（五）森林景观季相色彩

以深圳市为例，深圳处于亚热带，森林植被景观以常绿为主，但部分植物色彩也具有一定的季相变化：①12 月到翌年 2 月：呈绿色带黄褐色和红色斑点季相。主要色彩变化构成为鸡蛋花（*Plumeria rubra*）和木棉（*Bombax ceiba*）落叶，大花紫薇（*Lagerstroemia speciosa*）叶子变红。簕杜鹃（*Bougainvillea glabra*）、锦绣杜鹃（*Rhododendron pulchrum*）等植物盛开着红花。②3~5 月：呈淡绿色带红色和黄色斑点季相。主要色彩变化构成为植物发嫩绿色新芽，栀子花（*Gardenia jasminoides*）、荔枝开花。③6~9 月：呈绿色、红色季相。主要叶色变化构成为植物叶片翠绿色、荔枝、铁冬青（*Ilex rotunda*）结果、凤凰木红花盛开。④10~11 月：呈绿色带暗黄色、红色和白色斑点季相。该季节桂花绽开、鸡蛋花和簕杜鹃也持续开花（李薇等，2013）。

第三节　粤港澳大湾区生态空间服务功能

一、城市森林改善空气质量

（一）森林固碳释氧

城市森林植被具有良好的固氮释氧效应。有研究对深圳主要园林植物的固氮释氧效应测定结果显示，单位面积固碳释氧效应较好的热带亚热带园林物种包括羊蹄甲、木棉、香樟、凤凰木、桉树、榕树（*Ficus microcarpa*）、白兰（*Michelia alba*）、木荷（*Schima superba*）、海南蒲桃（*Syzygium cumini*）等乔木；美人蕉（*Canna indica*）、扶桑（*Hibiscus rosa-sinensis*）、蜘蛛兰（*Hymenocallis americana*）、龙船花（*Ixora williamsii*）、马缨丹（*Lantana camara*）、夹竹桃（*Nerium indicum*）、海枣（*Phoenix dactylifera*）等灌木以及台湾草（*Zoysia matrella*）。研究结果表明，深圳城市植被年吸收二氧化碳为 4.78×10^5 吨，年释放氧气量为 3.47×10^5 吨。

（二）森林净化空气

1. 山地森林对大气颗粒物消减效应

监测研究期间，帽峰山森林公园林内外的 $PM_{2.5}$ 和总悬浮颗粒物（TSP）的质量浓度值见表 5-4。林内外 $PM_{2.5}$ 的质量浓度平均值分别为 40.18 ± 10.47 微克/立方米和 55.79 ± 13.01 微克/立方米；林内外 TSP 的质量浓度分别为 101.32 ± 33.19 微克/立方米和 116.61 ± 35.36 微克/立方米。经方差分析表明，林内外之间的 $PM_{2.5}$ 和 TSP 平均质量浓度差异显著（$P<0.05$），$PM_{2.5}$ 和 TSP 的质量浓度无论是最小值还是最大值，林外都要显著高出林内。林内外 $PM_{2.5}$ 分别占 TSP 总质量的（39.66 ± 4.16）％和（49.51 ± 4.72）％，林外 $PM_{2.5}$ 是 TSP 的一半，说明林外 $PM_{2.5}$ 是 TSP 的主要组成部分，而林内的 $PM_{2.5}$ 浓度值比林外的要低。参照国家《环境空气质量标准》（GB 3095—2012），林内外 PM2.5 达到国家一级空气质量标准（≤35 微克/立方米）的天数概率分别为 44％ 和 33％；林内外 TSP 达到国家一级空气质量标准（≤120 微克/立方米）的天数概率分别为 72％ 和 56％。从林内外 $PM_{2.5}$ 与 TSP 的浓度间关系可知（图 5-5），$PM_{2.5}$ 与 TSP 的浓度间存在

明显的相关性，且林内的相关系数 R^2 大于林外。林外的 TSP 与 $PM_{2.5}$ 为非线性关系，其方程式为：TSP $= 90.59\ln(PM_{2.5}) - 238.41$（$R^2 = 0.885$，$P<0.01$），林内的 TSP 与 $PM_{2.5}$ 线性关系方程式为：TSP $= 1.41PM_{2.5} + 20.36$（$R^2 = 0.943$，$P<0.01$）。

表5-4 帽峰山森林公园林内外空气 TSP 和 PM2.5 浓度

微克/立方米

	地 点	最小值	最大值	平均值	标准差
$PM_{2.5}$	林内	19.47a	106.63a	40.18a	7.43
	林外	28.51b	156.82b	55.79b	13.01
TSP	林内	50.96a	168.35a	101.32a	33.19
	林外	64.77b	203.17b	116.61b	35.36

注：不同字母表示两两间差异显著（$P<0.05$）。

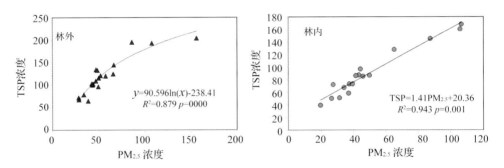

图5-5 林内外 TSP 与 PM2.5 浓度关系

空气颗粒物中的水溶性组分在很大程度上决定着颗粒物的理化特征，并能反映颗粒物的不同来源和形成机制。Cl^-、SO_4^{2-}、Na^+ 和 K^+ 这 4 种离子是海水的主要成分，首先假设 Na^+ 全部来自于海盐粒子，然后通过比较海水中和样品中 $c(Cl^-)/c(Na^+)$、$c(SO_4^{2-})/c(Na^+)$ 和 $c(K^+)/c(Na^+)$ 的比值，来判断其他几种海盐离子主要是来自于海洋还是陆地。海水中 $c(Cl^-)/c(Na^+)$、$c(SO_4^{2-})/c(Na^+)$ 和 $c(K^+)/c(Na^+)$ 分别为 0.250、1.810 和 0.036。研究期间 TSP 和 $PM_{2.5}$ 样品中各离子的比值见表5-5。林内外 TSP 和 $PM_{2.5}$ 中 Cl^- 与 Na^+ 的比值小于海水中的比例，说明 Cl^- 主要来自于海洋。SO_4^{2-} 和 K^+ 与 Na^+ 的比值大于海水中的比例，说明这两种离子主要来自于陆地。经方差分析，$c(K^+)/c(Na^+)$ 在林内外 TSP 和 $PM_{2.5}$ 中差异明显（$P=0.026$ 和 $P=0.043$）；但 $c(SO_4^{2-})/c(Na^+)$ 无显著差异（$P=0.255$ 和 $P=1.847$）。

SO_4^{2-} 和 NO_3^- 是城市空气颗粒物中的主要成分，其主要来源于化石燃料(煤和石油等)燃烧产生的 SO_2 和 NO_x 在空气中的转化过程。空气颗粒物中 NO_3^- 与 SO_4^{2-} 质量比 $c(NO_3^-)/c(SO_4^{2-})$ 可以用来比较固定源(如燃煤)和移动源(如汽车尾气)对空气中硫和氮贡献量的大小，如果空气颗粒物中 $c(NO_3^-)/c(SO_4^{2-})$ 的比值较高，那么说明机动车对空气中 SO_2 和 NO_x 的贡献大于固定源的贡献；反之，如果 $c(NO_3^-)/c(SO_4^{2-})$ 的比值较低，则说明 SO_2 和 NO_x 主要源自于煤的燃烧。从表 5-5 的结果可知，帽峰山森林公园的林内外 TSP 和 $PM_{2.5}$ 中 $c(NO_3^-)/c(SO_4^{2-})$ 的比值比较低，说明固定污染源对空气颗粒物的贡献大于移动源；TSP 中 $c(NO_3^-)/c(SO_4^{2-})$ 的比值大于 $PM_{2.5}$ 的比值，说明移动源对大粒径颗粒物的贡献比小粒径要大；相应粒径颗粒物在林内外的 $c(NO_3^-)/c(SO_4^{2-})$ 比值之间差异不明显($P > 0.05$)。

表 5-5　帽峰山森林公园林内外雨季 TSP 和 $PM_{2.5}$ 中离子成分的比值分析

离子比值	林内 TSP	林外 TSP	林内 $PM_{2.5}$	林外 PM2.5
$c(K^+)/c(Na^+)$	0.40(0.13)	0.32(0.04)	0.48(0.10)	0.34(0.05)
$c(Cl^-)/c(Na^+)$	0.17(0.04)	0.17(0.08)	0.24(0.02)	0.13(0.03)
$c(SO_4^{2-})/c(Na^+)$	5.40(0.86)	5.57(1.33)	5.16(2.61)	4.94(1.29)
$c(NO_3^-)/c(SO_4^{2-})$	0.17(0.07)	0.19(0.10)	0.13(0.02)	0.12(0.04)

2. 城市公园对大气颗粒物消减效应

(1)广州市不同城市公园绿地空气颗粒物浓度存在明显差异。广州市石门国家森林公园和帽峰山森林公园远离城市中心，人类活动相对较少，大气颗粒物浓度显著低于市区内的城市公园颗粒物浓度，如广州市文化公园和沙面公园的空气颗粒物浓度是石门国家森林公园的 1.4~1.6 倍，由于植被结构较为单一，与机动车道空间联动性较高，未有效隔绝污染源，致使公园内较高程度地参与大气颗粒物的循环。另外，较多的建筑物和植被错落分布，增加了下垫面的粗糙度，没有形成良好的通风廊道，不利于污染物的有效扩散，致使城市公园内的颗粒物浓度偏高。丰富的植被结构能够一定程度上阻挡空气颗粒物的扩散，但当公园绿地与污染源大气环境的连通性较高的时候，丰富的植被结构同样可能成为导致污染物聚集的因素。在利用植物进行抗污减霾的过程中，植被的配置模式需要慎重考虑。

另外，对广州市常见的绿化植物，利用气溶胶再发生器测定不同污染地区叶片表面对大气颗粒物的滞纳能力，对其净化大气环境吸附功能进行排序。

乔木树种叶片对 $PM_{2.5}$ 的吸附能力大小排序为：对叶榕（*Ficus hispida*）＞金叶含笑（*Michelia foveolata*）＞盐肤木（*Rhus chinensis*）＞白楸（*Mallotus paniculatus*）＞构树（*Broussonetia papyrifera*）＞黄檗（*Phellodendron amurense*）＞银叶树（*Heritiera littoralis*）＞杧果＞红木（*Bixa orellana*）＞人面子（*Dracontomelon duperreanum*）＞尖叶杜英（*Elaeocarpus rugosus*）＞美丽异木棉（*Ceiba speciosa*）＞海南红豆（*Ormosia pinnata*）＞小叶榄仁（*Terminalia neotaliala*）＞木荷＞腊肠树（*Cassia fistula*）＞阴香（*Cinnamomum burmannii*）＞高山榕（*Ficus altissima*）＞金蒲桃（*Xanthostemon chrysanthus*）＞澳洲鸭脚木（*Schefflera actinophylla*）＞阿丁枫（*Altingia chinensis*）＞羊蹄甲类（*Bauhinia* spp.）＞苹婆（*Sterculia monosperma*）＞风铃木（*Handroanthus impetiginosus*）。

乔木树种叶片对 PM_{10} 的吸附能力大小排序为：盐肤木＞白楸＞构树＞金叶含笑＞对叶榕＞黄檗＞杧果＞尖叶杜英＞海南红豆＞小叶榄仁＞人面子＞银叶树＞木荷＞腊肠树＞阴香＞阿丁枫＞美丽异木棉＞红木＞羊蹄甲类＞苹婆＞高山榕＞金蒲桃＞澳洲鸭脚木＞风铃木。

灌木植物叶片对 $PM_{2.5}$ 吸附能力排序为：多花野牡丹（*Melastoma malabathricum*）＞桂花＞鹅掌柴（*Schefflera arboricola*）＞龙船花＞簕杜鹃＞茶花（*Camellia japonica*）＞大头茶（*Polyspora axillaris*）＞鸟尾花（*Crossandra infundibuliformis*）＞黄蝉（*Allamanda schottii*）＞虾衣花（*Justicia brandegeeana*）＞红纸扇（*Mussaenda erythrophylla*）＞鸳鸯茉莉（*Brunfelsia brasiliensis*）＞紫锦木（*Euphorbia cotinifolia*）＞变叶木（*Codiaeum variegatum*）＞花叶假连翘（*Duranta repens* 'Variegata'）＞赤苞花（*Megaskepasma erythrochlamys*）＞红背桂（*Excoecaria cochinchinensis*）＞狗牙花（*Tabernaemontana divaricata*）＞琴叶珊瑚（*Jatropha integerrima*）＞灰莉（*Fagraea ceilanica*）＞鸡蛋花。

灌木植物叶片对 PM_{10} 吸附能力排序：桂花＞茶花＞簕杜鹃＞多花野牡丹＞红纸扇＞黄蝉＞大头茶＞龙船花＞鹅掌柴＞虾衣花＞变叶木＞鸳鸯茉莉＞鸟尾花＞花叶假连翘＞琴叶珊瑚＞赤苞花＞紫锦木＞灰莉＞红背桂＞狗牙花＞鸡蛋花。

（2）深圳常见园林绿化植物的滞尘功能研究。深圳城市生态站采用蒸干称重法和显微观察法对深圳市 28 种常见园林绿化植物的滞尘能力进行了初步研究（禹海群等，2012）。不同植物滞尘效果比较结果为：①针状叶类乔木中：龙柏>木麻黄（*Casuarina equisetifolia*）；②阔叶类乔木中：麻楝（*Chukrasia tabularis*）>霸王棕（*Bismarckia nobilis*）>黄花夹竹桃（*Thevetia peruviana*）>海枣>大花紫薇>长芒杜英（*Elaeocarpus apiculatus*）>椰子（*Cocos nucifera*）>紫檀（*Pterocarpus indicus*）；③灌木类中：紫薇（*Lagerstroemia indica*）>金叶榕（*Ficus microcarpa*）= 小蜡树（*Ligustrum sinensis*）>马缨丹>锈鳞木犀榄（*Olea ferruginea*）>红花檵木（*Loropetalum chinensis*）>龙船花>散尾葵（*Chrysalidocarpus lutescens*）>紫雪茄花（*Cuphea articulata*）>大佛肚竹（*Bambusa vulgaris*）>四季桂（*Osmanthus fragrans*）>朱槿（*Hibiscus rosasinensis*）>棕竹（*Rhapis excelsa*）>软叶刺葵（*Phoenix roebelenii*）>朱蕉（*Cordyline fruticosa*）；④草本类中：中国文殊兰（*Crinum asiaticum*）>花叶艳山姜（*Alpinia zerumbet*）>蔓花生（*Arachia duranensis*）。

3. 城市公园绿地抑菌功能

城市公园作为公众游览、观赏、休憩及锻炼身体的主要公共场所，其空气菌类种类和含量的高低直接关系市民的生活质量和身体健康状况，不同植物群落配置具有不同程度的抑菌效果，探明城市公园绿地不同植物群落配置模式的抑菌效果，不仅可为构建城市生态保健型绿地的植物配置模式提供参考依据，还可指导市民科学地选择强身健体场地。

天河公园绿地的抑菌率平均值为（35.1±11.5）%，越秀公园为（33.7±9.4）%，雕塑公园为（31.3±13.8）%。可见，城市公园绿地植物群落可抑制 1/3 的空气微生物含量，效果显著（熊咏梅和冯毅敏，2016）。

不同植物配置模式抑菌的整体效果，乔灌草的抑菌效果最高，为（46.7±5.4）%；乔草的次之，为（32.8±5.1）%；草坪的较低，为（30.2±9.1）%；灌草的最低，为（23.8±11.8）%。不同植物配置模式的抑菌效果呈显著性差异。其中乔灌草和乔草结构的抑菌效果显著高于灌草结构，与草坪结构的差异性不显著。

不同公园绿地抑菌效果的日变化随着时间的推移，公园绿地抑菌效果呈先增强、再减弱、后增强的变化趋势。不同植物配置模式抑菌效果的日变化随着时间的推移，不同植物配置模式抑菌率的大小所呈现的规律不一致。其中，乔灌草结构的抑菌率在 10:00 降至最低，为（43.8±3.0）%，16:00 达到最高，为（60.9±9.6）%；乔草结构的抑菌率在 10:00 降至最低，为（29.0±4.6）%，14:00 达到最高，为（39.8±7.3）%；草坪结构的抑菌率在 8:00 降至最低，为（25.3±10.8）%，16:00 达到最高，为（38.9±12.2）%；灌草结构的抑菌率在 8:00 降至最低，为（15.5±6.1）%，16:00 达到最高，为（27.1±23.2）%。

公园绿地具有改善小气候、杀菌滞尘等多种功能，因此，城市公园是民众最热衷的活动场所之一。公园绿地空气微生物含量直接关系民众所享用的生态保健功能的效果，甚至直接关系人体健康，从整体上看，随着时间的推移（8:00～16:00），广州公园绿地抑菌效果逐渐增强。然而，具体到每个公园、每种植物配置模式时，抑菌效果呈先增强、再减弱、后增强的变化趋势。基于此结论，最适宜民众前往公园的时间为 10:00～16:00（熊咏梅和冯毅敏，2016）。

（三）森林游憩环境

1. 提高人体舒适度

环境舒适度体现着环境气象条件特征，由环境空降的空气温湿度、风速和气压等要素决定。广州市帽峰山林区全年日均舒适度指数（ITH）计算结果如图 5-6（按 ITH 指数分级：ITH<12.0 为冷即不舒适、12.0<ITH<14.9 为稍冷、15.0<ITH<16.9 为凉、17.0<ITH<24.9 为舒适、25.0<ITH<26.9 为稍热、27.0<ITH<27.9 为稍不舒适、ITH>28.0 则为闷热不舒适）。监测结果显示，帽峰山林区 2019 年日达到舒适的天数为 165 天，但有 78 天稍热、5 天稍不舒适、34 天的舒适感觉为凉、46 天为稍冷、37 天为冷。全年按月统计：12 月、1 月和 2 月出现稍冷气候，不舒适或者闷热不舒适多在夏季的 8 月和 9 月。舒适度最多的天数集中在 3 月和 4 月的春季，以及 10 月底至 11 月的秋季，天气舒适度最高，适合民众外出休闲游憩。

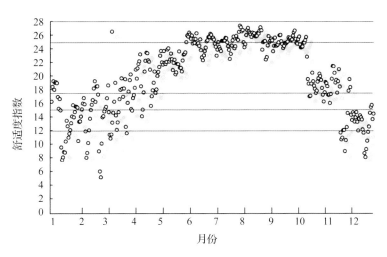

图 5-6　帽峰山森林区 2019 年日均舒适度指数

2. 增加空气负氧离子

以广州城市站作为粤港澳地区负氧离子研究代表。广州城市站对广州市 14 个城市公园内负氧离子浓度进行测定，得出其负氧离子浓度的均值、最大值及最小值进行统计，并依据《空气负氧离子浓度观测技术规范》(LY/T 2586—2016)进行浓度等级评估(表 5-6)。广州市城市公园负氧离子平均浓度为 1514 个/立方厘米，大部分公园的负离子浓度等级达到 II 级标准，帽峰山森林公园的负氧离子浓度最高达到 4 万个/立方厘米，越秀公园的负氧离子浓度最大值达到 9291 个/立方厘米，城市公园为居民提供了良好的休闲游憩的去处。

表 5-6　广州市城市公园"森林氧吧"负氧离子浓度

个/立方厘米

公园	平均值	最大值	最小值	浓度等级
白云山	1200	4009	810	II
海珠湿地	1718	4041	1767	II
动物园	717	1410	30	III
黄花岗公园	1558	4930	1440	II
中山纪念堂	1663	3840	710	II
兰圃公园	1055	1390	730	III
荔湾湖公园	1330	5930	280	II
烈士公园	1741	4080	1070	II

（续）

公园	平均值	最大值	最小值	浓度等级
麓湖公园	2613	5200	3900	II
帽峰山	2977	40030	3210	II
沙面公园	728	1863	658	III
文化公园	1048	3130	190	III
园科院	1501	3294	940	II
越秀公园	1350	9291	867	II
大岭山公园	3200	14457	820	I

二、城市森林净化水土环境

（一）森林净化水质功能

在城市生态系统中，树木具有重要的截留降雨功能，影响着所有的水文过程以及湿度在时间和空间上的重新分布。树冠能截留大部分的雨水，减少流向河流的径流量，从而减少发生洪水的可能性，同时能冲洗树叶表面的污染物。树根具有保水功能，凋落物在地上部分形成有机层，让水流渗透到土壤中，减少发生洪水与土壤侵蚀的可能性。最终减少了控制城市径流和治理污染物的费用。

结合逐日降雨特征观测的基础，通过对广州城市主干道、草地、绿化屋顶、园道和停车场这 5 类不同城市下垫面条件下的暴雨径流过程及污染进行同步监测和分析，揭示不同下垫面条件下雨水径流污染的输出时空规律，在此基础上估算场次降雨径流污染物质的平均浓度（EMCs），分析暴雨径流水质的影响因素，并探讨不同下垫面对径流污染物质的滤储效率。

不同下垫面污染物 EMC 值表现规律差异明显，草地污染物 EMC 值排序 TN>TP>Pb>Cr>PAHs>Cd>Hg；种植屋顶染物 EMC 值排序 TN>TP>Cr>Pb>PAHs>Cd>Hg；沥青路面均以 TN、TP 污染最为严重，重金属以 Cr、Pb 污染最为严重，Cd、Hg 污染物 EMC 值低于 PAHs 浓度。同一污染物在不同下垫面也表现出差异，TN 浓度在不同下垫面排序为城市主干道>停车场>绿化屋顶>草地>园道；TP 浓度为绿化屋顶>城市主干道>草地>园道>停车场；Cr 浓度为绿化屋顶>城市主干道>草地>停车场>园道；Cd 浓度为停车场>城市主干道>草地>园道>绿化屋顶；Hg 在 5 种下垫面污染物中浓度最低，在园道浓度过低尚未检测到；Pb 浓度为城市主干道>草地>停车场>绿化屋顶>园道；PAHs 浓度为城市主干道>停车场>园道>绿化屋顶>草地。

不同下垫面对暴雨径流中污染物的消减率存在明显差异，草地对七种污染物除 TP 和 Pb 外发挥净化作用，其消减率大小为 Cd>PAHs>TN>Hg>Cr，降雨后草地对 TP 增加率大于 Pb；城市主干道对污染物以"源"为主，其径流污染物增加率为 TP>Pb>TN>PAHs>Cr，对 Cd 的消减率大于 Hg；停车场径流对 TN、Pb、PAHs 的增加率为 8.19%、0.04%、17.41%，对 TP、Cd、Hg、Pb 的消减率为 8.30%、4.36%、49.53%、47.91%；园道对 7 种污染物除 TP 外发挥净化作用，其消减率大小为 Hg>Cd>Pb>TN>Cr>PAHs，对 TP 增加率为 41.52%；绿化屋顶对重金属和多环芳烃发挥净化作用，其消减率大小为 Cd>Hg>Pb>PAHs，增加了径流中的营养物质，尤其是 TP 的增加率为 3467.14%。

（二）森林净化土壤功能

城市森林土壤能储存城市环境中的重金属污染元素，影响土壤环境质量。对广州市的城市森林区域中土壤重金属的污染状况进行研究，应用单因子污染指数法和综合污染指数法对广州市城市森林土壤重金属污染进行分析和评价。广州市机场高速林带林区土壤中 As、Pb、Cd 3 种重金属污染元素超标，广深铁路林带林区土壤中 Cd 重金属元素超标，其他各林区严格控制环境重金属污染物未超标，帽峰山森林公园土壤重金属综合污染指数最低，表明森林群落对重金属污染元素的消减作用明显。广州市城市森林土壤重金属污染状况仅处于轻度污染水平或污染预警水平，较污灌区土壤质量好，从而可以为城市土壤重金属污染区采用"以林代农"的利用方式提供新思路，确保城市生态安全。土壤环境质量与土壤的各种因子彼此相关，土壤 pH 值、土壤养分元素含量、土壤酶活性及土壤的温湿度均能影响土壤重金属污染元素的含量。森林土壤中重金属含量与土壤 pH 值呈显著正相关性，Cd 含量与土壤 C、N 呈显著正相关性，Cu 含量与土壤中 P 含量呈正相关性。森林土壤中 As、Cu、Zn 含量与土壤中过氧化氢酶活性呈显著的负相关性，土壤过氧化氢酶活性可以表征森林土壤中 As、Cu、Zn 污染状况。

城市公园表层土壤的环境质量与人们的生活息息相关，受到市民高度关注。选择广州市 5 个城市公园，采集表层土样，分析其 PAHs 的质量浓度、组分特征及其来源现状，为广州城市公园表层土壤 PAHs 治理提供数据及理论基础。结果表明：①旱季，广州市 5 个公园表层土壤中 $\sum$16PAHs 的质量浓度均值的范围为 177.4～648.5 微克/千克，总均值为 402.3 微克/千克，雨季 $\sum$16PAHs 质量浓度均值的范围为 345.8～565.1 微克/千克，总均值为 446.8 微克/千克。旱雨季公园间表层土壤中 $\sum$16PAHs 的质量浓度无显著差异。旱雨季，5 个公园表层土壤 PAHs 受污染情况多为轻度污染。②每个公园中 16 种 PAHs 组分质量浓度在旱季和雨季均表现为差异较大，且各公园间的含量也有较大差异，5 个公园中 PAHs 组分均表现为 NAP 最高，公园表层土壤旱季均未检测出芴 FLO，雨季有 4 个公园未检测出蒽 DahA。5 个公园 6 种 PAHs 代表物的质量浓度均值为 105.0 微克/千克，占比均值为 24.8%。③旱季和雨季，这 5 个公园多为家庭厨房油烟、垃圾焚烧及道路交通等低温及中低温燃烧带来的污染，土壤受工业生产高温燃烧影响较小。

深圳城市生态站对土沉香林、次生林、马占相思林等 3 类不同林分共 9 块样地林下 0～100 厘米剖面土壤重金属进行了测定。由表 5-7 可以看出，0～20 厘米表层土壤中总 Cd 含量表现为次生林含量最低，从表层到深层无明显层次性分布；0～20 厘米表层土壤中总 Hg 含量表现为马占相思林最低，次生林含量最高，3 个林分类型土壤总 Hg 含量均总体表现在表层富集的趋势；0～20 厘米表层土壤中总 Pb 含量为次生林＞土沉香林＞马占相思林，土沉香林和马占相思林总 Pb 表现为深层富集，而次生林表现为表层富集；0～20 厘米表层土壤中总 Cu 含量表现为马占相思林最高，土沉香林最低，土沉香林和马占相思林总 Cu 表现为深层富集，而次生林表现为中层富集；0～20 厘米表层土壤中总 Zn 含量表现为马占相思林最高，次生林最低，土沉香林和马占相思林总 Zn 均表现为深层富集，而次生林层次变化不显著。

表 5-7　深圳城市生态站主站固定样地不同植被类型土壤重金属含量

植被类型	土层（厘米）	总 Cd（毫克/千克）	总 Hg（毫克/千克）	总 Pb（毫克/千克）	总 Cu（毫克/千克）	总 Zn（毫克/千克）
土沉香林	0~20	0.05	0.20	36.33	15.67	43.00
	20~40	0.03	0.14	40.67	15.00	39.67
	40~60	0.02	0.15	44.00	16.33	31.67
	60~80	0.06	0.12	57.67	19.00	51.00
	80~100	0.01	0.10	53.00	17.33	50.00
次生林	0~20	0.02	0.32	61.00	19.33	41.67
	20~40	0.17	0.08	21.67	18.67	41.67
	40~60	0.01	0.13	30.67	21.33	43.00
	60~80	0.04	0.10	26.33	16.67	38.00
	80~100	0.02	0.13	39.67	21.67	41.00
马占相思林	0~20	0.04	0.15	22.33	20.33	52.33
	20~40	0.04	0.12	21.00	21.00	52.67
	40~60	0.03	0.14	26.33	26.33	56.33
	60~80	0.04	0.11	37.33	27.67	61.67
	80~100	0.02	0.12	37.00	24.33	63.33

三、城市森林缓解热岛效应

(一)帽峰山城市森林气候效应

城市森林是缓解城市热岛效应的重要绿色基础设施。其主要通过树冠蒸腾作用、树冠具有遮挡作用和本身吸收热辐射并阻隔热传导，发挥降温作用。依托国家林业和草原局珠三角森林生态站，完成广州市帽峰山林区16 项气象要素的全年候监测。研究表明：帽峰山森林区域空气温度日变化在 2.5~34.5℃之间、年最高气温出现在 8 月、最低气温日出现在 1 月，全年平均气温为 20.3℃；按月份统计最低气温月为 1 月、月均气温12.2℃；最高气温月为 8 月、月均为 25.6℃。

按季节统计，4~9 月(雨季)平均气温为 24.7℃，较旱季的 1~3 月和10~12 月的平均气温高出 7.9℃。全年最高气温>30.0℃天数达 132 天、最低温低于 5.0℃的天数达 17 天；旱季 1~3 月和 12 月的林区日之间的气温变幅较大，雨季则相应较小。

依据广州市天河区五山街站(广州天气网报)与帽峰山林区对比，1 月

(冬季代表月)的森林消减热岛强度范围在 1.8~6.1℃，日均降低热岛强度为 3.4℃，其中日均降低热岛强度>3.0℃的天数达 19 天。4 月(春季)与城区相比，林区月消减热岛强度的范围在 1.7~5.5℃，日均降低热岛强度为 3.1℃，较 1 月低 0.3℃，消减热岛强度>3.0℃的天数达 16 天。7 月(夏季)林区与五山街相比，日消减热岛强度范围在 1.5~5.3℃，日均降低热岛强度为 2.9℃，较对应的 1 月和 4 月稍低，月消减热岛强度>3.0℃天数 13 天。

11 月(秋季)日均气温两个区域比较，林区消减城市热岛强度范围在 1.6~6.0℃，日均降低热岛强度为 3.3℃，与 1 月的月均消减强度相近，月消减热岛强度>3.0℃天数 18 天(图 5-7)。依据 4 个典型月份的森林消减热岛强度统计，全年帽峰山林区相对市区(同海拔高)的日均消减热岛强度为 2.9℃，最高消减热岛强度达 6.2℃，而且秋、冬季消减能力更强，城市森林生态系统的消减热岛效应是极其显著的。

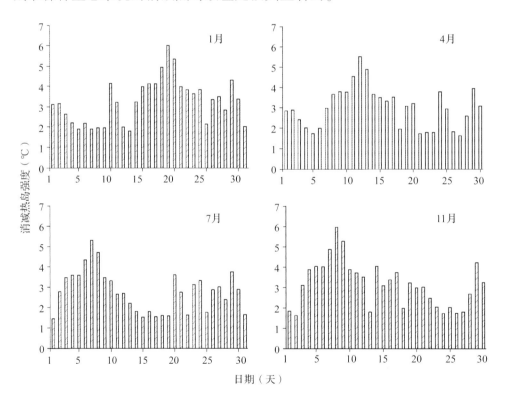

图 5-7　帽峰山林区相对五山街(城区)在典型月份的日消减热岛强度

(二)城市公园尺度局地热岛缓解

1. 城市公园绿地对热岛的缓冲效应

以公园为主体的城市绿地通过植被的光合作用、蒸腾以及蒸散作用降低温度、增加湿度，是缓解城市热岛效应的有效途径之一。

广州市城市公园内区域小气候的气温最高温度及平均温度相比区域气候温度要低。城市公园绿地的气温最高温度的平均温差为-6.31℃，与区域气候相比，降温幅度为-4.44~-8.51℃，对最高气温的气候缓冲效应强，尤其是在1~4月。

城市公园与区域气候平均温度的差异为-1.2℃，即城市公园森林带来的温度缓冲效应为1.2℃，降温幅度为-0.09~-2.94℃，降温幅度主要集中在-1.37~-1.61℃。各城市公园的空间降温效果差异显著，其中白云山、体育公园降温效应最强，4~7月的降温效果最为明显。

城市湿地公园的降温幅度小于0.3℃，花都湖湿地公园和南沙滨海湿地公园偶尔也会出现比区域平均气温升高的频次(3月)。

2. 城市公园绿地降温缓冲区半径

城市公园绿地自身温度比周边非植被下垫面温度低，因此会对周围热环境产生一定程度的降温作用。通过降温缓冲区分析确定城市绿地降温范围，研究城市绿地的降温效果。比较城市公园林内与林外的温度差异，林内比林外气温最高温度的差异为-6.31℃，最低温度的温差为-1.55℃，平均温度的差异为-1.73℃。

城市公园景观对周围热环境的降温作用受地理位置、周围环境等多种因素的共同制约，降温效果、范围存在显著差异。每个公园的平均降温影响范围14~432米，最大影响距离相差将近418米，降温温差也有差别，白云山的降温影响缓冲区域范围最大，约456米，马鞍山公园降温影响范围为212米，越秀公园的降温影响范围为176米，南沙滨海公园的降温影响范围为93米，体育公园的降温影响范围为55米。

公园绿地面积、水体面积以及长宽比等因子共同影响着公园对周边环境的降温作用，水体面积比例较高的公园，其平均降温影响范围以及降温幅度一般普遍高于水体面积比例较小的公园，说明水体面积比例较大的公园，相对于同等条件下水体面积比例较小的公园，具有更好的降温效果(苏泳娴等，2010)。

当公园绿地面积小于5000平方米(边长大约为70米)，公园对外界的降温范围接近0米，即此时公园将失去对周边环境的降温效应。当公园绿地面积达到54公顷(边长约为735米)，公园对周边环境降温范围，将不再随着公园绿地面积的增加而增加。因此，公园在规划设计时，如果从公园对周边环境降温效果的角度出发，其绿地面积最佳值应该维持在 0.5～54 公顷之间。

（三）城市全域尺度热岛时空变化

利用 1994 年 10 月 1 日、2004 年 10 月 12 日、2014 年 10 月 8 日、2019 年 11 月 7 日和 2019 年 11 月 14 日 TM 和 Landsat8 卫星影像数据，分析深圳市域热场空间格局特征与变化特点。

1. 绝对亮温变化

深圳市市域范围内 1994 年、2004 年、2014 年和 2019 年绝对亮温见图 5-8。可以看出，2004 年与 1994 年相比，中西部区域和中东部的北部区域热场范围有所扩大，包括宝安区、光明新区、龙华区、南山区、福田区、罗湖区、龙岗区和坪山区北部区域。2014 年与 2004 年相比，深圳市域热场的空间格局变化不大，低温区主要集中在山丘和水域等地类上。2019 年与 2014 年相比，深圳市域东部地区热场范围有所扩大，中部地区热场范围也有所增长，但西部及北部区域热场空间格局变化不大。

从数量变化来看（图 5-9），从 1994 年、2004 年、2014 年到 2019 年的市域热场总体呈现了升温的变化过程，但在时间段上则呈现了先升后降的变化特点。1994 年与 2004 年相比，从温度极值看，有升有降，其中最高温从 33.5℃ 升高到了 41.47℃，升幅为 7.97℃，最低温度则从 19.35℃ 降低到了 14.22℃，降幅达到了 5.13℃；但从全市平均来看，市域热场无论是从范围还是强度上都有一定的增强，1994 年时深圳全市域的平均热场温度为 24.83℃，到了 2004 年全市域平均温度上升到了 26.02℃，升幅达到了 1.19℃。2014 年与 2004 年相比，热场的空间分布格局相差不大，极端高温增幅只有 3.56℃，极端低温略有升高，升幅只有 0.63℃，但市域的平均温度则从 2004 年的 26.02℃ 降低到了 25.65℃，降幅很小，只有 0.63℃。2019 年与 2014 年相比，温度极值均降低，其中最高温度从 2014 年的 45.03℃ 降低到 2019 年的 41.43℃，降幅为 3.6℃，最低温从 2014 年的 14.85℃ 降低到 2019 年的 13.35℃，降幅达到 1.5℃；从全市平均来看，深圳市全市域平均温度也有所下降，由 2014 年的 25.65℃ 下降到 2019 年的 25.33℃，降幅为 0.32℃。

2004—2014 年，从不同区域的亮温变化来看，大多数行政区都呈现了与全市均温相同的"低—高—低"变化趋势，温度一直呈上升趋势的只有

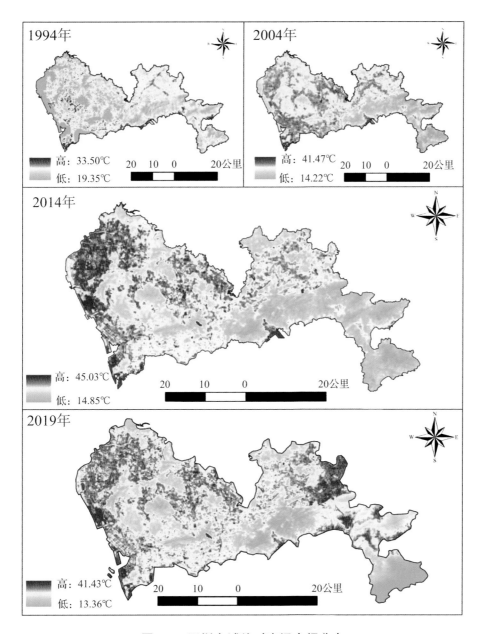

图 5-8　深圳市域绝对亮温空间分布

宝安区，其 1994、2004 和 2014 年的平均温度分别为 23.74℃、26.69℃ 和 27.33℃，而大鹏新区、坪山区和盐田区则呈现了温度逐年下降的变化趋势，其中降幅最大的为大鹏新区，1994、2004 和 2014 年的平均温度分别为 25.37℃、23.88℃ 和 22.90℃，2014 年与 1994 年相比，降温幅度达到了 2.47℃。2014—2019 年，大多数行政区域均温均呈现出下降趋势，但坪山区平均温度呈现出了上升趋势，达到 26.10℃，超出全市均温 0.77℃。

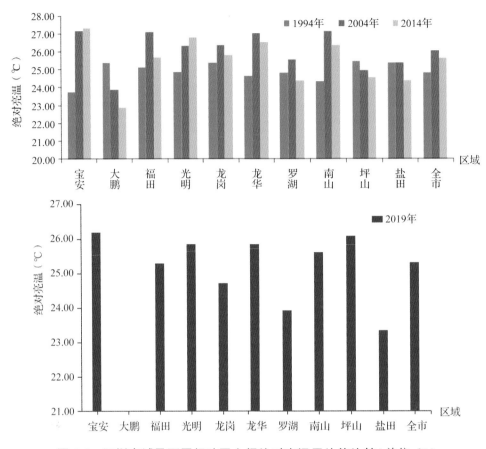

图 5-9 深圳市域及不同行政区之间绝对亮温平均值比较（单位：℃）

2. 相对亮温变化

从市域的相对亮温情况来看（表 5-8、图 5-10），在 1994—2004 年的 10 年间，其总体呈现了绿岛和极强热岛增加，其余热岛类型面积减少的变化趋势，其中绿岛面积的增加比例达到了 16.23%，弱热岛面积减少比例达到了 15.82%，中等热岛和强热岛面积比例减少不大，分别为 0.33% 和 0.1%，出现了 15.5 公顷的极强热岛。从分布上来看，2004 年的极强热岛主要分布在远业工业园、富士康科技集团龙华科技园和世纪中心家居广场等地。从 2004—2014 年的 10 年间变化来看，虽然其也呈现了绿岛面积增加、弱热岛面积减少的变化过程，但在变化的幅度上与 1994—2004 年时段又有了比较大的差异，其中绿岛面积增加比例只有 2.04%，弱热岛面积减少比例则高达 17.26%，极强热岛面积也从 2004 年的 15.3 公顷，增加到了 74.7 公顷，主要集中于银湖山的上下坪、南方中集东部物流装备制

表 5-8　深圳市域相对亮温统计

项目	1994		2004		2014		2019		增(+)减(-)			
	面积(公顷)	比例(%)	面积(公顷)	比例(%)	面积(公顷)	比例(%)	面积(公顷)	比例(%)	1994—2004		2004—2014		2014—2019	
									面积(公顷)		面积(公顷)		面积(公顷)	
绿岛	62463.1	32.1	94042.3	48.33	98017.9	50.37	98307.4	50.53	31579.1	16.23	3975.7	2.04	289.46	0.14
弱热岛	125116.1	64.3	94342.2	48.48	60762.8	31.23	73182.3	37.62	-30773.8	-15.82	-33579.5	-17.26	12419.54	6.38
中等热岛	6725.3	3.46	6091.2	3.13	31709.7	16.3	21588.0	11.10	-634.1	-0.33	25618.5	13.17	-10121.75	-5.2
强热岛	280.4	0.14	93.9	0.05	4019.8	2.07	1386.4	0.71	-186.5	-0.1	3925.9	2.02	-2633.43	-1.35
极强热岛	0	0	15.3	0.01	74.7	0.04	74.2	0.04	15.3	0.01	59.4	0.03	-0.54	-0.0003
合计	194585	100	194585	100	194585	100	194538.18	100	0	0	0	0	0	0

造公司、长安标致雪铁龙汽车基地、深圳市源和喷油厂、深圳瑞博诺环保科技公司、深圳市联志光电科技公司、深圳宝安国际机场等地。在这一时段，中等热岛和强热岛双双呈现了增加的变化过程，增幅比例分别达到了13.17%和2.02%。从2014年的热场空间分布来看，强热岛和极强热岛主要集中分布在中西部区域，以宝安区、光明新区和南山区的分布最为集中。从2014—2019年的5年间变化来看，深圳市呈现了绿岛面积增加的过程，增长了289.46公顷，但弱热岛面积也有所增加，增加了12419.54公顷。但中等热岛、强热岛、极强热岛的面积均有所减小，分别减少了10121.75、2633.43和0.54公顷。

结合绝对亮温变化综合分析，1994—2019年区域整体上呈现降温的变化趋势，但出现了局部热场增强的变化态势，表明区域总的热环境正朝着与人居环境需求相适应的方向发展，但在局部区域，热环境依然有与人居环境需求不相协调、需要改善之处。

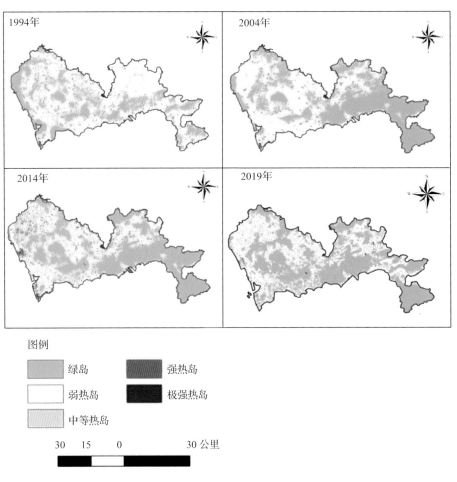

图 5-10 深圳市域相对亮温分布

3. 行政区热场变化对比

根据图 5-12 对不同行政区的相对亮温统计结果见表 5-9。

（1）绿岛在 2004 和 2014 两个年度，在大鹏新区和盐田区都处于绝对优势地位，形成了这几个行政区的景观基质，其中大鹏新区所占比例最大，都在 90%以上，而在 1994 年，绿岛在不同行政区域所占比例相差不大，基本上都介于 30%~45%之间。2019 年除坪山区外，其余各行政区内绿岛面积均有所增加，坪山区绿岛面积减少了 20.07%，但总体上看 2019 年各行政区域绿岛面积均在 35%以上。

（2）完全没有极强热岛分布的行政区域只有大鹏新区，福田区和南山区则经历了极强热岛从有到无的变化过程，而龙岗区、罗湖区和盐田区则经历了极强热岛从无到有的变化过程。

（3）强热岛在各行政区域的所占比例都不大，均在 6%以内，但都处于不断扩展的变化过程之中。

（4）中等热岛的变化比较复杂，除坪山区以外，其他各行政区域呈现出先增加，后减小的变化趋势。2004—2014 年，逐年变化减小的只有大鹏新区、福田区和罗湖区，但减小的比例都不大，都在 3%以内，大多数行政区域的中等热岛面积都处于不断增加的变化中，其中以宝安区、光明新区和龙华区的增幅较大，增幅比例都在 20%以上，其他行政区域的增幅都在 12.5%以内。2014—2019 年，中等热岛面积占比逐年增多区域只有坪山区，增幅达 15.79%，大多数行政区域呈现出下降的趋势，其中以宝安区降幅最大，达 20.31%。

（5）除福田区、龙岗区和罗湖区以外，其余行政区域弱热岛面积占比均呈现出先减小，后增大的变化趋势，但总体上仍呈现出下降趋势。福田区、龙岗区和罗湖区呈现出持续降低的趋势，降幅分别为 20.37%、43.85%和 10.7%。

表 5-9 深圳市不同行政区域相对亮温面积比例统计 %

项目	年份	宝安	大鹏	福田	光明	龙岗	龙华	罗湖	南山	坪山	盐田
绿岛	1994	44.79	31.66	24.15	29.78	20.45	34.66	38.01	36.78	23.83	38.40
	2004	33.04	92.69	18.76	44.50	43.34	19.88	62.03	21.42	75.42	72.14
	2014	28.44	92.73	45.59	32.76	46.66	34.25	67.87	38.78	65.23	72.68
	2019	37.54		58.68	43.76	61.13	42.71	77.56	45.47	45.16	79.44

（续）

项目	年份	宝安	大鹏	福田	光明	龙岗	龙华	罗湖	南山	坪山	盐田
弱热岛	1994	50.93	64.77	69.25	66.92	77.47	64.46	56.17	56.36	74.81	54.10
	2004	63.33	6.94	76.03	54.81	53.97	75.56	36.26	68.93	23.54	21.88
	2014	30.39	6.80	48.88	39.16	38.49	41.16	28.07	43.46	28.54	15.35
	2019	46.74		37.42	45.48	33.62	46.60	20.22	45.47	30.57	15.65
中等热岛	1994	4.06	3.44	6.40	3.21	2.07	0.87	5.75	6.26	1.35	7.29
	2004	3.61	0.36	5.10	0.69	2.66	4.34	1.65	9.50	0.99	5.88
	2014	35.26	0.47	5.22	25.89	14.37	22.79	2.94	14.68	5.56	8.33
	2019	14.95		3.71	10.64	5.09	10.26	1.33	8.33	21.85	4.13
强热岛	1994	0.22	0.12	0.21	0.09	0.02	0.02	0.07	0.60	0.01	0.20
	2004	0.01	0.01	0.10	0.00	0.02	0.16	0.06	0.14	0.05	0.11
	2014	5.88	0.01	0.31	2.17	0.48	1.73	0.52	3.08	0.64	3.64
	2019	0.74		0.19	0.11	0.15	0.42	0.53	0.72	2.28	0.77
极强热岛	1994	0.00	0.00	0.00	0.00	0.00	0.00	0.00	0.00	0.00	0.00
	2004	0.005	0.000	0.017	0.000	0.000	0.060	0.000	0.010	0.000	0.000
	2014	0.028	0.000	0.000	0.003	0.002	0.067	0.603	0.000	0.023	0.000
	2019	0.03		0.000	0.000	0.012	0.000	0.359	0.000	0.135	0.006

4. 热场消减对策

（1）保护好现有森林、湿地等生态空间，维持森林覆盖率的基本稳定并促进湿地资源的恢复，防止热岛面积继续扩大。

（2）加强工业园区绿化，降低其热岛强度。上述分析表明，极强热岛和强热岛主要集中在中心城区和一些工业园区，要通过建设森林社区、森林工业园，降低其热岛强度。

（3）在强热岛和极强热岛区，加强城区桥体、墙体绿化，推动各个社区的阳台和屋顶绿化，发挥绿色植被的降温效应，使中等强度和弱热岛区域继续扩大。

（4）继续完善城市社区公园，增加城市绿岛面积和优化其分布格局，进一步消解城区热岛。

（5）进一步改善现有森林质量，提高其绿岛的降温影响辐射范围和能力，促进局部空气对流交换，疏散城区热空气。

（6）加强河流、水库等湿地资源的保护与恢复，建设近自然的河岸森林植被带，发挥湿地降温的生态功能。

(7)加强河流、道路沿线的生态景观林带建设，使其成为城市通风的生态廊道，促进城区热量的消散。

四、城市森林维持生物多样性

(一)城区绿化树种构成

植物物种组成是整个城市园林绿地生态系统功能的基石，是构成生物多样性的基本元素，作为植物生态系统的主体的乔木树种，影响着整个生态系统的功能，也影响着群落林下结构和物种组成。

广州市城市园林绿地植物物种组成共记录到物种种类 1700 种，隶属于 207 科 900 属，按科种类数排序前 10 位的植物为大戟科（Euphorbiaceae）、棕榈科（Palmae）、桑科（Moraceae）、龙舌兰科（Agavaceae）、菊科（Asteraceae）、蝶形花科（Papilionaceae）、百合科（Liliaceae）、禾本科（Gramineae）、桃金娘科（Myrtaceae）和天南星科（Araceae）。乔木植物物种有 691 种，隶属于 97 科 311 属，排序依次是细叶榕、高山榕、杧果、尾叶桉（*Eucalyptus urophylla*）、大叶榕（*Ficus virens*）、洋紫荆（*Bauhinia variegata*）、垂榕（*Ficus benjamina*）、糖胶树（*Alstonia scholaris*）、非洲桃花心木（*Khaya senegalensis*）、黄槐（*Senna surattensis*）、海南蒲桃。灌木植物物种记录到 340 种，隶属于 77 科 198 属，主要有福建茶（*Carmona microphylla*）、九里香（*Murraya exotica*）、假连翘（*Duranta repens*）、簕杜鹃、大红花（*Hibiscus rosa-sinensis*）、黄榕（*Ficus microcarpa* 'Golden Leaves'）、红背桂、希茉莉（*Hamelia patens*）、山指甲（*Ligustrum sinense*）、变叶木。广州市城市绿地共记录到 551 种草本和 118 种藤本，隶属于 137 科 479 属，按应用面积排序依次为台湾草、白蝴蝶（*Syngonium podophyllum* 'White battlefly'）、水鬼蕉（*Hymenocallis littoralis*）、蚌兰（*Tradescantia spathacea*）、沿阶草（*Ophiopogon bodinieri*）、美人蕉、细叶萼距花（*Cuphea hyssopifolia*）、文殊兰（*Crinum asiaticum* 'Sinicum'）、南美蟛蜞菊（*Sphagneticola trilobata*）、海芋（*Alocasia odora*）等。

深圳城区园林绿化树种中，早期以大叶榕、红花羊蹄甲（*Bauhinia blakeana*）、阴香、秋枫（*Bischofia javanica*）、细叶榕、麻楝、非洲桃花心木、人面子、木棉、海南蒲桃、高山榕、白千层（*Melaleuca leucadendron*）、木菠萝（*Artocarpus heterophyllus*）、杧果、扁桃（*Mangifera persiciforma*）、香

樟、凤凰木等 17 种为主干树种。近年来为提升城市景观环境，增加了开花乔木的应用。据记载，深圳市绿地应用的园林植物有 638 个种或品种，但目前常用城市道路绿地常见乔木有 102 种，公园绿地常见乔木为 129 种。道路绿地和公园绿地的乔灌比分别为 1.79∶1 和 2.3∶1。

（二）城市鸟类多样性

根据系统的水鸟监测调查和文献资料，大湾区区域内记录到水鸟 126 种，隶属于 7 目 18 科，其中，广布种 19 种，东洋界物种 27 种，古北界物种 80 种；迷鸟 1 种，夏候鸟 7 种，旅鸟 15 种，留鸟 23 种，冬候鸟 80 种。珠三角地区的 126 种水鸟中，国家重点保护物种 10 种，CITES 附录物种 4 种，广东省重点保护物种 23 种。国家重点保护物种中，有国家一级保护野生物种 2 种，分别为黑鹳（*Ciconia nigra*）和中华秋沙鸭；国家二级保护野生物种 8 种，分别为白鹈鹕（*Pelecanus onocrotalus*）、岩鹭（*Egretta sacra*）、白琵鹭（*Platalea leucorodia*）、黑脸琵鹭、鸳鸯（*Aix galericulata*）、花田鸡（*Coturnicops exquisitus*）、小杓鹬（*Numenius minutus*）、小青脚鹬（*Tringa guttifer*）。CITES 附录物种 4 种中，有附录 I 物种 1 种，为小青脚鹬；附录 II 物种 3 种，分别为黑鹳、白琵鹭、花脸鸭（*Anas formosa*）。

2018—2020 年，广州城市绿地监测区域共记录到鸟类 315 种，隶属于 20 目 68 科，占全省已记录鸟类 553 种的 56.96%，属于《国家重点保护野生动物名录》的鸟类 31 种，属于"三有"名录的有 234 种，按居留类型分，留鸟 155 种，占 49.2%，冬候鸟 127 种，占 40.3%，夏候鸟 33 种，占 10.5%。留鸟是广州城市公园鸟类群落的主要成员，迁徙鸟类以冬候鸟为主，夏候鸟占的比例较少。

（三）城市蝴蝶多样性

蝴蝶是城市生物多样性的组成部分，是反映人为活动干扰对城市生物多样性产生直接影响的重要指示生物，也是成人喜欢观赏和幼儿喜好嬉戏追逐的自然小精灵。因此，蝴蝶成为了城市生物多样性的评估指标，也是衡量城市化对城市生物多样性影响的环境指示生物。艳丽而婀娜的蝴蝶具有极高的观赏价值，与绿道静止的"绿"和"景"的和谐搭配，让绿道成为"有绿、有景、有趣味"的绿色开敞空间，为城市环境增添了一道美丽又透着灵动的风景线，也提供了开展生态文化宣传和自然教育的场所。同时，蝴蝶多样性可作为环境变量的指标来反映环境质量，多用来反映人为干扰对生态环境的影响、城市化对人类居住环境质量的影响。

1. 广州市蝴蝶多样性研究

采用样线法对广州市 21 条城镇型绿道蝴蝶进行监测，共记录到蝴蝶 106 只，隶属于 7 科 21 属 31 种，优势种为酢浆灰蝶和东方菜粉蝶 (*Pieris canidia*)，数量所占比例为 15.10% 和 12.30%，棕灰蝶 (*Euchrysops cnejus*)、报喜斑凤蝶 (*Delias pasithoe*)、橙粉蝶 (*Ixias pyrene*) 等 20 种为常见种类。展翅直径超过 5 厘米、色彩艳丽的蝴蝶个体数量占 68.00%，物种数占 78.00%，表明广州市城镇型绿道蝴蝶的观赏性较强 (吴毓仪等，2020)。

城镇型绿道蝴蝶群落显示蚬蝶科 (Riodinidae) 属的数量最多，有 8 个属，其次为灰蝶科 (Lycaenidae)、粉蝶科 (Pieridae) 和凤蝶科 (Papilionidae)。物种丰富度大小依次为蛱蝶科 (Nymphalidae)、凤蝶科、灰蝶科、眼蝶科 (Satyrldae)、粉蝶科 (Pieridae)、蚬蝶科和弄蝶科 (Hesperiidae)；多样性性指数大小依次为蛱蝶科、粉蝶科、凤蝶科、灰蝶科、眼蝶科、蚬蝶科和弄蝶科。

不同月份优势类群和常见类群不同，7 月的蝴蝶多样性指数明显高于 4 月和 11 月，蝴蝶个体数大于 4 月和 11 月，物种丰富度、多样性指数、均匀度指数以 7 月最高，4 月和 11 月无明显差异，但优势度指数则以 7 月最低。不同月份广州城镇型绿道蝴蝶景观差异显著，蝴蝶景观更丰富，4 月蝴蝶群落占优势的种群为襞黄粉蝶 (*Terias blanda*) 和橙粉蝶，7 月蝴蝶群落种群数量最大的为酢浆灰蝶，11 月蝴蝶群落种群数量最大的为东方菜粉蝶。

在对石门国家森林公园石灶风景区进行实地勘察的基础上，按景区生境类型、面积比例等确定 3 类不同生境——花海、竹林、森林浴场，在每类生境内各设置 1 条长约 2 公里的调查样线。观测记录到石门国家森林公园蝴蝶 918 只，隶属于 9 科 36 属 45 种，报喜斑粉蝶和绢斑蝶 (*Parantica aglea*) 数量最多，所占比例分别为 22% 和 15%，为该研究区域的优势种类；红腋斑粉蝶 (*Delias acalis*)、菜粉蝶 (*Pieris rapae*)、巴黎翠凤蝶等 24 种为该研究区域的常见种类；统帅青凤蝶、橙粉蝶、翠袖锯眼蝶 (*Elymnias hypermnestra*) 等 19 种个体数量少于 1%，其总体数量占调查蝴蝶总个体数的 6.5%，为该研究区域的稀有种类 (熊咏梅等，2019)。

蛱蝶科 (Nymphalidae) 的属数量最多，有 9 个属，其次为弄蝶科和粉蝶科；物种数量最多的科是蛱蝶科，有 10 个物种，其次是凤蝶科、弄蝶科和粉蝶科；粉蝶科的个体数量最多，为 368 只，其次为斑蝶科 (Danaidae）、凤蝶科和蚬蝶科。物种丰富度大小依次为为蛱蝶科、凤蝶科、弄蝶科、粉蝶科、眼蝶科、灰蝶科、蚬蝶科、环蝶科（Amathusiidae）和斑蝶科。各科的物种多样性指数大小依次为蛱蝶科、弄蝶科、凤蝶科、眼蝶科、粉蝶科、灰蝶科、蚬蝶科、环蝶科和斑蝶科；属多样性指数最大为弄蝶科，其次为蛱蝶科，最小为蚬蝶科、环蝶科和斑蝶科。眼蝶科和灰蝶科的均匀度最高，其次为弄蝶科、蛱蝶科和凤蝶科（熊咏梅等，2019）。

花海、竹林、森林浴场3种生境蝴蝶多样性存在一定的差异性。花海蝴蝶的数量远远大于竹林和森林浴场，表明石门国家森林公园人工打造花海促进了该生境蝴蝶景观的形成。花海蝴蝶个体数占整个研究区域的73%，数量优势明显的物种数占整个研究区域的86%，表明该生境更适合蝴蝶的生存。但是，该生境蝴蝶群落多样性指数最低，优势度最高，主要原因是花海里报喜斑粉蝶和绢斑蝶数量大，分别达到202只和138只，个体数量远远大于其他物种，导致均匀度降低（熊咏梅等，2019）。

2. 深圳市蝴蝶多样性研究

通过对深圳市城区、近郊、远郊进行梯度布点，在七娘山国家地质公园、洪湖公园、莲花山公园、深圳湾海滨公园、塘朗山郊野公园、深圳市仙湖植物园、中心公园设置七条蝴蝶观测样线，采用系统抽样法或分层随机抽样法，根据观测目标以及观测要求，计算蝴蝶样本量，设置观测样区。根据蝴蝶野外发生特点，在5~11月，晴朗、微风天气时开展观测，每天的观测时间一般为9:00~17:00，避开夏季极热天气。在7条样线中，郊区的蝴蝶种类数量明显高于建成区，其中七娘山国家地质公园的蝴蝶种类数和个体数均为最高。同样位于郊区的塘朗山郊野公园种类数也高于其他建成区的样线，但是蝴蝶个体数量优势不明显。建成历史最久、且面积最小的洪湖公园的蝴蝶种类数和个体数量均为最低。全年按季节变化明显，在8月蝴蝶的多样性达到峰值，9月受到台风影响，各样线的蝴蝶多样性明显降低。

七娘山共观测到蝴蝶5科37种，数量555只。优势种为酢浆灰蝶、报喜斑粉蝶、宽边黄粉蝶、黄襟蛱蝶、中环蛱蝶、白带螯蛱蝶、蓝点紫斑蝶、巴黎翠凤蝶、玉带凤蝶、统帅青凤蝶等。洪湖公园共观测到蝴蝶4科17种，数量58只。优势种为酢浆灰蝶、迁粉蝶、幻紫斑蛱蝶、玉带凤蝶等。莲花山公园共观测到蝴蝶5科25种，数量114只。优势种为迁粉蝶、钩翅眼蛱蝶（*Junonia iphita*）、鹤顶粉蝶（*Hebomoia glaucippe*）、翠袖锯眼蝶、玉斑凤蝶（*Papilio helenus*）、玉带凤蝶、蓝凤蝶（*Papilio protenor*）、青凤蝶（*Graphium sarpedon*）。深圳湾海滨公园共观测到蝴蝶 4 科 21 种，数量 214 只。优势种为酢浆灰蝶、宽边黄粉蝶、迁粉蝶、幻紫斑蛱蝶、钩翅眼蛱蝶、翠袖锯眼蝶等。塘朗山郊野公园共观测到蝴蝶 5 科 35 种，数量 213 只。优势种为酢浆灰蝶、迁粉蝶、梨花迁粉蝶（*Catopsilia pyranthe*）、宽边黄粉蝶、中环蛱蝶、凤眼方环蝶（*Discophora sondaica*）、玉带凤蝶、玉斑凤蝶、巴黎翠凤蝶、斑凤蝶（*Chilasa clytia*）等。深圳市仙湖植物园共观测到蝴蝶 4 科 28 种，数量 262 只。优势种为曲纹紫灰蝶（*Chilades pandava*）、酢浆灰蝶、东方菜粉蝶、宽边黄粉蝶、迁粉蝶、钩翅眼蛱蝶、斐豹蛱蝶（*Argyreus hyperbius*）、小眉眼蝶（*Mycalesis mineus*）、蓝凤蝶、巴黎翠凤蝶、玉带凤蝶、美凤蝶（*Papilio memnon*）、玉斑凤蝶等。中心公园共观测到蝴蝶 5 科 23 种，数量 264 只。优势种为酢浆灰蝶、东方菜粉蝶、迁粉蝶、钩翅眼蛱蝶、斐豹蛱蝶、翠袖锯眼蝶、木兰青凤蝶（*Graphium doson*）、玉带凤蝶、柑橘凤蝶（*Papilio xuthus*）等。

在 2015 年和 2018 年对城市蝴蝶多样性的调查研究过程中，已发现对于深圳这个发展历史较短的快速化城市来说，除了生物多样性与生态斑块面积呈正相关，还存在与以往同类研究不同的现象。深圳作为一个超级城市，其蝴蝶多样性随城市梯度变化并不明显，可能与深圳市的建成历史时间较短（近 40 年）有关。深圳市作为快速城市化的代表，需要深入调查生物多样性的特征、变化规律和影响因素，为了解城市生态系统的维持机制提供新信息。

五、城市红树林生态系统状况

（一）南沙湿地系统的水体净化效果

1. 湿地水体 pH 值

分别在南沙湿地的入水口（样地 1）、芦苇地（样地 2）和无瓣海桑林（样地 3）设置样地，开展水质监测。3 个样地四季 pH 值在 7.35～8.15 间变化，pH 值的季节变化规律基本一致。由于无瓣海桑的叶与树皮中含有大量的单宁，其水体 pH 值在四季均低于芦苇与入水口，且三样地四季 pH 值为春季<夏季<秋季<冬季（图 5-11）。

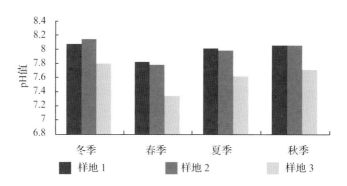

图 5-11　入水口、芦苇与无瓣海桑湿地水体 pH 值季节动态

2. 湿地水体 BOD 值

生化需氧量（BOD），是一种用微生物代谢作用所消耗的溶解氧量来间接表示水体被有机物污染程度的一个重要指标，也在一定程度上反映了水体溶解氧（DO）含量的多少。由图 5-12 可知，无瓣海桑水体与入水口相比，四季的 BOD 去除效果均显著，冬、春、夏、秋去除率分别为 27.4%、23.7%、26.9% 和 10.8%；而芦苇的去除效果不及无瓣海桑，冬、春、夏季的去除率分别为 21.3%、8.5% 和 14.1%，秋季较反常，数值增加了 5.1%。四季的 BOD 值比较显示，降水量多的春夏含量低于秋冬，表明秋冬的有机物污染严重于春夏。综上所述，BOD 去除效果较好的为无瓣海桑，最好的季节为冬季。

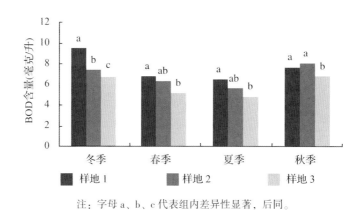

注：字母 a、b、c 代表组内差异性显著，后同。

图 5-12　入水口、芦苇与无瓣海桑湿地水体 BOD 季节动态

3. 湿地水体化学需氧量（COD）

化学需氧量（COD）往往作为衡量水中有机物质含量多少的指标，化学需氧量越大，说明水体受有机物的污染越严重。将不同季节样地间的 COD

值比较发现，所有样地都是夏季最高，冬季次之。样地间比较(图 5-13)，
在夏季三样地间 COD 值无明显差异。冬季与春季中，无瓣海桑林对 COD
有明显的去除效果，COD 值较入水口分别降低了 21.6% 和 24.2%；而芦
苇水体中 COD 值较入水口分别降低 9.6% 和 9.5%，但效果不差于无瓣海
桑。夏、秋季由于枯枝落叶分解速度的加快，使水体中有机质含量增加，
导致芦苇与无瓣海桑周围水体化学需氧量比无林地(入水口)分别增加了
8.4%、1.9% 和 34.5%、4.9%。

参照《海水水质标准》(GB3097—1997)，可以发现南沙湿地公园水体
有机质污染非常严重，第四类水体(即海洋港口水域、海洋开发作业区)
的 BOD 与 COD≤5 毫克/升，而样地水体中的含量高于该类水体。

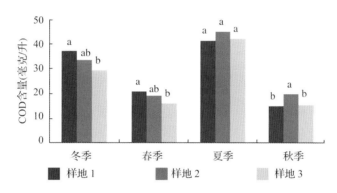

图 5-13　入水口、芦苇与无瓣海桑湿地水体 COD 季节动态

4. 湿地水体 N 含量

如图 5-14 所示，3 个样地平均总 N 含量的季节变化规律为秋季>冬季
>春季>夏季，即秋冬的污染严重于春夏。这与李睿华、管运涛、何苗等
(2006)研究结果一致，由于 7 月雨季到来使水流量增大，导致 N 含量相
对减少；另外，由于夏季是植物的旺盛生长期，植物对 N 的需求增加也是
水体中 N 含量减少的原因。由图 5-14 可见，夏季样地 2、3 比入水口 N 含
量高，但与两样地春、秋季 N 含量相比仍然减少了，其中与秋季相比样地
2、3 的含 N 量分别减少了 71.7% 和 74.4%。样地间比较结果为：冬、春
季样地 3 对 N 元素的净化效果都很显著，分别比入水口含量减少了 77.8%
和 53.6%；且芦苇冬季的净化率也达到了 75.3%，春季与入水口无差异。
四季中无瓣海桑对 N 的吸收净化能力都比芦苇强，水体中含 N 量较芦苇
分别降低了 10%、53.6%、12.4% 和 3.3%，这与刘育和夏北成(2006)的
结论一致，即湿地植物生物量越高污水中 N 的去除就越多。由此可见，湿

地植物对总 N 含量的影响结果与 BOD 监测结果一致：净化效果较好的植物为无瓣海桑，冬季是净化效率最高季节。

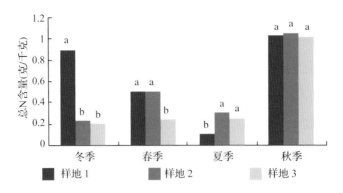

图 5-14 入水口、芦苇与无瓣海桑湿地水体总 N 季节动态

5. 湿地水体 P 含量

总 P 在各样地中的含量也是秋冬高于春夏，即冬季>秋季>春季>夏季（图 5-15）。P 不但是植物体中许多重要化合物的成分，且以多种方式参与植物的新陈代谢过程。P 有提高作物对外界环境适应能力的作用，首先它能增强作物的抗旱和抗寒能力，其次，P 能增强作物对外界条件酸碱变化对作物影响的能力，即缓冲能力。低温、少降水、pH 值高是冬季各样地 P 元素高于其他季节的原因，另外，样地 pH 值高，也不利于植物对 P 的吸收。

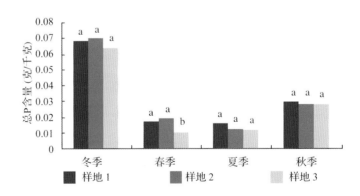

图 5-15 入水口、芦苇与无瓣海桑湿地水体总 P 季节动态

6. 湿地水体重金属含量

各样地平均有效 Cr 含量季节规律与总 P 含量一致，为冬季>秋季>春季>夏季（图 5-16），且 3 个样地在各季节的 Cr 含量均为样地 1>样地 2>样地 3。芦苇对 Cr 的净化率冬、春、夏、秋季依次为 77.5%、37.1%、

20.8%和33.3%，冬季的净化效果比较显著；无瓣海桑依次为82.4%、40.5%、21.7%和61.7%，在冬、春、秋季均有显著的净化效果。参照《海水水质标准 GB3097—1997》可见，冬、秋季植物将第四类的湿地水净化为第二类水体(Cr含量≤0.01毫克/升)，即适用于水产养殖区、海水浴场，人体可直接接触海水的海上运动或娱乐区，以及与人类食用直接有关的工业用水区。

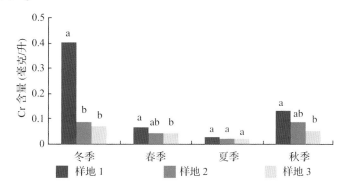

图5-16　入水口、芦苇与无瓣海桑湿地水体 Cr 含量季节动态

如图5-17，样地水体 Ni 含量季节规律与总 P、Cr 的一致，芦苇四季对 Ni 的净化率依次为冬51.6%、春18.7%、夏11.9%、秋44.4%，无瓣海桑依次为冬58.5%、春18.7%、夏2.3%和秋46.9%，两种植物在冬、春、秋季对 Ni 均有显著净化效果，且冬、秋季无瓣海桑水体中的 Ni 比芦苇水体还要分别低14.4%和4.5%。

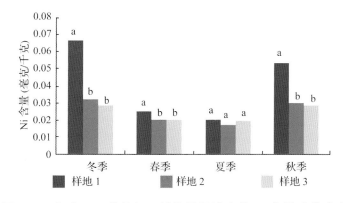

图5-17　入水口、芦苇与无瓣海桑湿地水体 Ni 含量季节动态

无瓣海桑样地水体 Mn 含量在冬、春季时显著大于样地1(入水口)，夏秋季则小于样地1，其中秋季含量差异不显著。季节规律为冬季到夏季逐渐减少，夏季到冬季则逐渐增加(图5-18)。原因是秋冬温度低，植株几乎停

止生长，Mn 元素不断地累积使得其含量在水体中逐渐增加；而春夏为植物的生长季，土壤与水体中的 Mn 被植物所吸收从而含量降低，其中无瓣海桑夏季与冬季相比降幅达 80.5%，芦苇降幅达 47.5%。植物的吸收与水体的积累效果有一定滞后性，因此在植物生长吸收的初期(春季)与水体积累的初期(秋季)，无瓣海桑与样地 1 的 Mn 含量大小规律表现与上一季节相同。

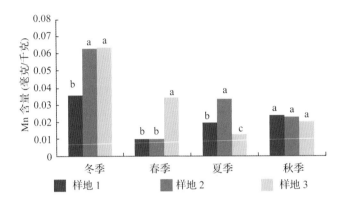

图 5-18　入水口、芦苇与无瓣海桑湿地水体 Mn 含量季节动态

调查分析显示：入水口、芦苇与无瓣海桑三样地四季的 pH 在 7.35～8.15 之间变化，四季中 pH 为春季<夏季<秋季<冬季。冬季与春季，无瓣海桑林对 COD 均有去除作用，且比芦苇显著，COD 两季节含量较入水口分别降低了 21.6% 和 24.2%。

芦苇与无瓣海桑水体中 P 净化效果最显著的是春季，分别为 41.2% 和 46.7%。从 BOD 与 N 含量可看出，秋、冬季的有机物污染比春、夏季严重，去除 BOD 与 N 效果较好的植物为无瓣海桑。BOD 的春、夏、秋、冬四季去除率依次为 27.4%，23.7%，26.9% 和 10.8%，冬、夏季 N 的去除率分别为 77.8% 和 53.6%，芦苇净化效果不显著，净化 BOD 与 N 效果最好的季节是冬季。芦苇与无瓣海桑冬季对 Cr 的净化率分别为 77.5% 和 82.4%，效果非常显著，冬季对 Ni 的净化率分别为 51.6% 和 58.5%。Mn 在水体中的含量与 BOD、COD、T、P、Cr、Ni 相同，为秋、冬季含量高于春、夏季，Mn 在夏季无瓣海桑水体中的含量与冬季相比降幅达到 80.5%，芦苇降幅达 47.5%。

(二)防风消浪功能

1. 南沙湿地红树林的防风效应

分别在红树林内和红树林外放置风速观测仪(距地面 1.5 米处),以综合分析红树林对风速的影响。所观测的红树林为 6~7 龄无瓣海桑林,林分均高 8 米,平均胸径 11.6 厘米,林分密度 2500 株/公顷。红树林外的风速观测仪(对照)放置在外围滩涂的空旷堤坝上。

不同季节分别选取大风天气对该区域红树林的防风效应进行分析。结果表明,防风效果在不同季节均十分突出。春季林外最大风速为 4.8 米/秒,而同一时刻林内风速则为 0 米/秒,防风效应达到 100%。夏季林外最大风速为 6.7 米/秒,在林内则降到 0.4 米/秒,降幅达 93.36%,红树林对该日风速大于 3.1 米/秒的大风的拦阻可达 96.48%。秋季林外最大风速为 5.3 米/秒,红树林的防风效应为 83.25%,林内风速全天几乎都在 1.4 米/秒之下,对该天风速大于 3.1 米/秒的大风的拦阻也达到了 90.18%。冬季林外最大风速达 6.3 米/秒,其林内风速下降了 64.44%,对风速大于 3.1 米/秒的大风,平均防风效应为 76.09%。因此可以判断,春季研究区风速不大(最高风速<4.8 米/秒)加之林内枝叶茂盛的情况下,红树林的防风效应最高,几乎是 100%,冬季的防风效果则相对最差,而秋季明显小于夏季和春季。

2. 淇澳红树林的消浪效应

波浪监测地点位于淇澳岛大围湾和东涌,地势开阔,冬季受北风影响波浪显著,选择 6 片无瓣海桑林作为消波效应观测对象(即 6 个观测样地)。对所选择的红树林类型,横穿林带设立波浪观测剖面线,在波浪观测剖面线上每隔 25 米设置波浪观测仪器,分别设立在沿与林带垂直方向距林带临海边缘 25 米、50 米、75 米、100 米处,同时在林带临海边缘设立波浪测定仪作对照测量。采用 8 个 Alec 波浪仪和 4 个 Ruskin 波浪仪。2008 年至 2012 年,对研究地的波浪情况进行长期全天候观测,取样间隔为 20~60 分钟,取样频率 2 赫兹,每个间隔的取样数 1200 次。结果表明,不同林分结构的红树林类型之间,其消波效应有较大的差异。初步分析表明,不同类型间消波效应的差异可能是林分被海水淹浸的树干、枝叶、地上根等体积空间的差异性所造成的。由于在红树林区涨潮时的水位一般在 1.0~1.5 米之间,因此,林分地面至胸高处生物量体积密度是林分被潮水淹浸空间的最有代表性的综合指标。结合不同类型红树林的结构特征指标，可以看出，总体而言红树林的消波效应随林分地面至胸高处生物量体积密度的增加呈增强的趋势。

（三）湿地鸟类多样性监测

1. 南沙湿地的鸟类多样性

南沙湿地共记录鸟类 13 目 31 科 74 种（2019 年度监测数据），其中候鸟 30 种，占总物种数的 40%。属于《中澳候鸟协定》名录的 13 种，属于《中日候鸟协定》名录的 28 种。列入国家 II 级保护的 5 种，分别为黑脸琵鹭、黑鸢（*Milvus migrans*）、黑翅鸢（*Elanus caeruleus*）、褐翅鸦鹃（*Centropus sine*）和领鸺鹠（*Glaucidium brodieinsis*）；列入 CITES 附录 II 的有黑鸢、黑翅鸢、领鸺鹠等 6 种；广东省重点保护的有白鹭、苍鹭、黑水鸡（*Gallinula chloropus*）、黑翅长脚鹬（*Himantopus himantopus*）、红嘴鸥（*Larus ridibundus*）等 12 种；列入"三有"名录的 56 种。各保护物种数分别占总物种数的 6.67%、8.00%、16.00% 和 74.67%。其中黑脸琵鹭被誉为"鸟中大熊猫"，为全球濒危鸟类，1989 年被列入濒危物种红皮书，它对环境要求极为苛刻，是生态环境的指示性物种。自 2015 年以来，每年冬季广州南沙湿地和珠海淇澳红树林湿地均对黑脸琵鹭进行了观测，并记录数量。两地黑脸琵鹭数量呈逐年上升趋势，表明生态环境日益改善。

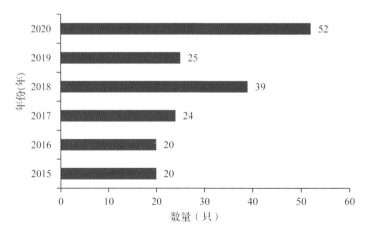

图 5-19 南沙湿地黑脸琵鹭观测到的数量

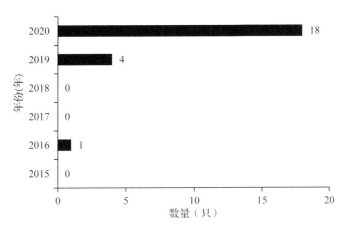

图 5-20 珠海淇澳红树林湿地黑脸琵鹭观测到的数量

2. 淇澳红树林区的鸟类多样性

共记录鸟类 12 目 40 科 120 种(2015—2017 年监测数据),其中保护物种共计 100 种,占总物种数的 83.33%;候鸟 68 种,占总物种数的 56.67%。国家二级保护野生物种 6 种,属于《中澳候鸟协定》名录的 19 种,属于《中日候鸟协定》名录的 44 种,列入 CITES 附录 Ⅱ 的 5 种,列入 IUCN 近危种的 2 种,广东省重点保护的 15 种,列入"三有"名录的 95 种,分别占总物种数的 5.00%、15.83%、36.67%、4.17%、1.67%、12.50% 和 79.17%。受保护物种共计 100 种,占总物种数的 83.33%。

3. 深圳福田红树林区的鸟类多样性

2020 年 1 月至 2020 年 12 月期间,对红树林保护区及毗邻区域进行鸟类调查和监测,调查和监测区域包括观鸟亭、鱼塘、凤塘河口、沙嘴码头、沙嘴码头东边、沙河西等区域,共进行 24 次同步调查(其中 15 次和香港同步进行)、83 次日常普查(包括过境鸟调查)、23 次重点鸟类调查(黑脸琵鹭/猛禽调查),调查和监测时间涵盖早上、下午,包括不同潮位、涨潮、退潮等状况,进而更全面地观测和了解红树林保护区的鸟类栖息、迁移等状况。

2020 年记录得鸟类 154 种,隶属于 15 目 42 科,其中濒危鸟类 4 种,国家一级保护野生鸟类 2 种,国家二级保护野生鸟类 15 种。IUCN 濒危鸟类有 4 种:黑脸琵鹭、小青脚鹬、大杓鹬(*Numenius madagascariensis*)、大滨鹬;易危鸟类有 5 种:红头潜鸭、黑嘴鸥、乌雕(*Clanga clanga*)、白肩雕(*Aquila heliaca*)、黄嘴白鹭(*Egretta eulophotes*)。水鸟 7 目 11 科 73 种

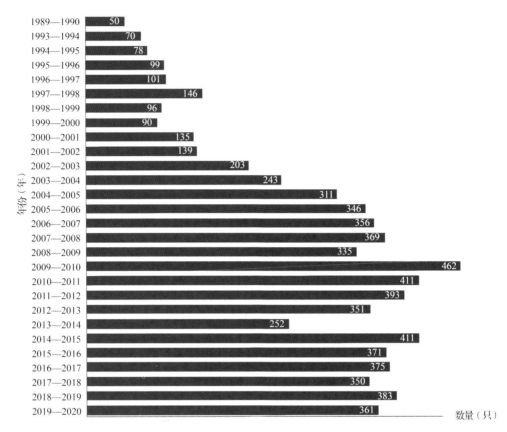

图 5-21 深圳湾黑脸琵鹭近 30 年观测数量

37662 只，数量超过 1% 的水鸟有 5 种：黑脸琵鹭、普通鸬鹚（*Phalacro-corax carbo*）、反嘴鹬（*Recurvirostra avosetta*）、弯嘴滨鹬、凤头潜鸭（*Aythya fuligula*）。数量前 10 位的水鸟是：红嘴鸥、弯嘴滨鹬、赤颈鸭（*Mareca penelope*）、黑腹滨鹬（*Calidris alpina*）、琵嘴鸭（*Spatula clypeata*）、普通鸬鹚、凤头潜鸭、绿翅鸭（*Anas crecca*）、反嘴鹬、黑尾塍鹬（*Limosa limosa*），这 10 种水鸟的最大数量为 28214 只，占水鸟总数的 74.91%，其中红嘴鸥数量最多，为 4033 只，占水鸟总数的 10.71%。

在不同的月份，红树林保护区及周边栖息的水鸟组成有所不同，在 1~3、11~12 月以鸭类为主，4 月和 9 月以鹬鸻类为主，6~7 月以鹭类为主，5 月和 8 月以鹭类和鹬鸻类为主、10 月以鸭类和鹬鸻类为主。而黑脸琵鹭在深圳湾的数据变化稳定在 360 只左右。

（四）湿地其他生物多样性监测

福田红树林生物多样性与生态环境监测，主要是在地面开展乡土红树树种和引种红树树种多样性及生长、底栖动物多样性及动态、昆虫多样性

及动态、浮游生物多样性及动态等方面的季节性监测,主要结果如下:

(1)2020年福田红树林乡土树种生长(秋茄群落、白骨壤群落)较为稳定,秋茄群落呈现秋茄+桐花树群落的演替趋势;本地木榄种群扩散速度较快;凤塘河口东群落演替方向为秋茄群落和秋茄+桐花树群落。沙嘴A、B样带种群生长相对稳定,以秋茄和桐花树为优势种且生长较快,已形成秋茄+桐花树共优群落;引种海莲、澳洲白骨壤和引种源的木榄种群略有呈现衰退的迹象;无瓣海桑种群较为稳定,生长变缓;海桑群落未来可能会演变为海桑+无瓣海桑群落。

(2)在福田红树林,2020年共鉴定出60种底栖动物,其中软体动物36种,环节动物多毛类8种,甲壳动物11种,另采集到鱼类3种,水生昆虫幼虫2种。各采样点底栖动物种类数在14~34种之间,以观鸟亭低潮带采样点种类数最多,观鸟亭高潮带采样点种类数最少。腹足类和甲壳类种类数在各个采样点相对较多,其他类群种类数相对较少。2020年采集到底栖动物物种数比2019年少,主要是采集到的软体动物种类数有所减少。

(3)2020年度共鉴定出浮游动物120种,种类数较2019年度有较大增加,主要为桡足类、轮虫类和纤毛虫类的增长。各个采样点浮游动物种类数相差不大,在40~70种之间。桡足类在各个采样点种类数相对较多,轮虫次之,其他种较少。春季、夏季、秋季、冬季鉴定出的浮游动物种类数分别为41种、39种、53种、48种,种类数最多的是桡足类和轮虫类。冬季的浮游动物密度和多样性最高。

(4)福田保护区各个采样点共鉴定出浮游植物5门34属69种,其中硅藻门17属47种,蓝藻门5属7种,绿藻门7属9种,裸藻门4属5种,隐藻门1属1种,其中硅藻门和蓝藻门浮游植物是主要优势类群。2020年度四个监测点平均密度大小依次为凤塘河口>观鸟屋>沙嘴>基围鱼塘。各样点浮游植物的种类数以5月和9月较多。近几年监测结果显示,在2016年密度达到最大,2017年之后下降。根据本区浮游植物优势物种以及群落结构等指标,该区的水体仍呈富营养化状态。

(5)本年度共采集昆虫9目、59科、142种,吕宋灰蜻(*Orthetrum luzonicum*)、稻纵卷叶螟(*Cnaphalocrocis medinalis*)为保护区新记录。生物多样性指数 *H'* 为2.74,E为21.83,D为0.24,q为0.82。自2015年1月至

2017 年 11 月，红树林共记录昆虫 12 目、345 种。2、3 号鱼塘改造对该鱼塘附近昆虫多样性影响很大，与 2018 年和 2019 年相比无明显差异，但与 2017 年相比还未得到恢复。斑点广翅蜡蝉（*Ricania guttata*）发生较去年略轻，未出现造成树木死亡现象。海榄雌瘤斑螟（*Ptyomaxia* sp.）较去年危害重，但较 2017 年危害轻。观鸟屋和 2 号鱼塘因为防制，白骨壤未出现明显的被害；风塘河口和沙嘴 6~7 月被害较严重，但白骨壤未出现干枯状。红火蚁（*Solenopsis invicta*）防制较成功，所有监测点已经无红火蚁。棉大卷叶螟（*Sylepta derogata*）已经被成功控制。

第四节　主要观测研究进展与对策建议

一、主要观测研究进展

（1）大湾区城市森林、湿地、绿地等生态空间比重保持了稳中有升的良好态势。珠三角城市群森林覆盖率由 2016 年的 51.5% 提高到 2020 年的 51.72%，增加了 0.22 个百分点。湿地面积占比达 14.4%，湿地保护率 85.7%，较 2015 年提升 18.1%。

（2）大湾区城市绿色福利空间的供给持续改善。珠三角城市群城区绿化覆盖率由 2015 年的 42.8% 提高到 2019 年的 44.64%，各城市绿化覆盖率均在 40% 以上；人均公园绿地面积由 2015 年的 19.2 平方米提高到 2019 年的 20.01 平方米。

（3）大湾区注重城市森林结构的优化，城市森林生态系统的整体性和功能性在提升。以深圳为例，2009—2013 年间深圳林地和园地的斑块结构逐步破碎化和多样化，但从 2015 年深圳森林景观斑块结构来看，总数量的 36.5% 属于面积小于 1 公顷的中小尺度斑块，而大尺度和特大尺度斑块在数量和面积比例上都较大，反映出深圳市城市森林整体性强，形成了以大斑块为主体、相对健康的城市森林生态系统。

（4）大湾区绿道网络建设形成了覆盖面广、类型完善的多级绿道体系。2015 年珠三角地区就建成绿道 11285 公里，6 条主线连接广佛肇、深莞惠、珠中江三大都市区，串联 200 多处主要森林公园、自然保护区、风景名胜区、郊野公园、滨水公园和历史文化遗迹等发展节点。2020 年，广州建设串联多个城市森林、公园绿地的"云道"，为市民享受自然提供了更多选择，成为广州的一个新名片。

（5）城市森林能够为市民提供更加健康的休闲游憩场所。在帽峰山的研究表明，林外 $PM_{2.5}$ 是 TSP 的主要组成部分，而林内的 $PM_{2.5}$ 浓度值比林外的要低；林内 $PM_{2.5}$ 达到国家一级空气质量标准（≤35 微克/立方米）的天数概率比林外多 10%。而且广州在多个公园观测表明，城市公园负氧离子平均浓度为 1514 个/立方厘米，大部分公园的负氧离子浓度等级达到 II 级标准，同时城市公园绿地植物群落可抑制 1/3 的空气微生物含量，乔灌草的抑菌效果最高。

（6）城市森林可以有效消减城市热岛强度。全年帽峰山林区相对市区（同海拔高）的日均消减热岛强度为 2.9℃，最高消减热岛强度达 6.2℃，而且秋、冬季消减能力更强，城市森林生态系统的消减热岛效应是极其显著的。广州城市公园森林带来的温度缓冲效应为 1.2℃，4~7 月的降温效果最为明显，每个公园的平均降温影响范围 14~432 米，最大影响距离相差将近 418 米。

（7）部分重点城市热岛效应出现逐步改善趋势，绿岛效应增强，弱热岛增多，中强热岛减少，总的热环境正朝着与人居环境需求相适应的方向发展。以深圳为例，2019 年与 2014 年相比，平均温度由 2014 年的 25.65℃下降到 2019 年的 25.33℃；绿岛面积增长了 289.46 公顷，弱热岛面积增加了 12419.54 公顷，而中等热岛、强热岛、极强热岛的面积分别减少了 10121.75、2633.43 和 0.54 公顷。

（8）大湾区城市绿化植物资源日益丰富。以广州市为例，城市园林绿地植物物种组成共记录到的物种种类达到了 1700 种，隶属于 207 科 900 属。物种数排序前 10 位的大科为大戟科、棕榈科、桑科、龙舌兰科、菊科、蝶形花科、百合科、禾本科、桃金娘科和天南星科。

（9）大湾区城市生物多样性研究有了新的进展。2018—2020 年，广州城市绿地监测区域共记录到鸟类 315 种，隶属于 20 目 68 科，占全省已记录鸟类 553 种的 56.96%。属于《国家重点保护野生动物名录》的鸟类 31 种，属于"三有"名录的有 234 种。按居留类型分，留鸟 155 种，占 49.2%；冬候鸟 127 种，占 40.3%；夏候鸟 33 种，占 10.5%；城镇型绿道记录到蝴蝶 7 科 21 属 31 种，棕灰蝶、报喜斑凤蝶、橙粉蝶等 20 种为常见种类，其中展翅直径超过 5 厘米、色彩艳丽的蝴蝶个体数量占 68%，物种数占 78%，表明广州市城镇型绿道蝴蝶的观赏性较强；深圳蝴蝶多样性随城市梯度变化并不明显，这在城市化地区还是比较少见的，可能与深圳拥有布局合理、类型丰富的城市森林、公园绿地有关。

（10）大湾区城市红树林资源得到了保护与恢复，防风消浪效果显著，其水体净化、生物多样性维持等生态服务功能的观测也在持续展开。广州南沙红树林防风效果研究表明，红树林防风效果在各个季节都比较显著，夏季林林内风速降幅达 93.36%，特别是对风速大于 3.1 米/秒的大风的拦阻可达 96.48%。珠海淇澳岛观测表明，不同林分结构的红树林类型之间，其消波效应有较大的差异。深圳福田、广州南沙、珠海淇澳岛 3 处城市滨海红树林的鸟类等生物多样性观测表明，3 处都具有丰富的湿地鸟类资源，种类和数量虽然存在一定的差异，但近年来观测到的黑脸琵鹭数量在持续增加。

二、城市森林对策建议

（1）继续保持强化以大湾区森林、湿地、绿地等为主的生态系统建设的战略定力，在未来的发展中守好生态红线，按照山水林田湖草生命共同体的理念，开展陆地生态系统保护修复，使大湾区拥有总量适宜、结构合理、布局均衡、健康高效的城市生态系统。

（2）注重大湾区生态站的联合研究，跟踪本地区生物多样性的变化态势，开展区域性重点野生动植物栖息地和生态廊道的基础研究，针对生境破碎化、生态廊道缺失等问题，开展针对性的区域森林生态系统保护与修复，助力大湾区国家森林城市群建设(王成，2016b)。

（3）加强大湾区地带性天然林及次生林的资源保护，减少对此类森林区域的开发干扰；提高城市区内森林廊道、交通及人居密集区的森林群落或生态系统的生态功能和景观质量，尤其是特色景观乔灌草的种群选择及配置质量；研发维持或加强该森林及绿地斑块的环境承载功能、景观色彩功能及视觉观赏功能、宜居环境的保健与康养功能的森林培育技术。

（4）从典型城市区域、重点地区及城市内部重点场地 3 个层面，对大湾区城市森林的结构、空间格局以及生态服务功能开展相关研究，获取城市变化的驱动因素及其对绿色和蓝色基础设施空间影响的相关信息，提供有助于城市向公平、绿色和健康过渡的基于自然的解决方案。

（5）建立大湾区生态环境保护联合协作机制。粤港澳大湾区是一个环境相融、经济相连的城市生态环境共同体，其森林湿地为主的区域自然生态系统为城市群提供了最重要的生态安全保障。要探索组建粤港澳 3 地共同参与的生态环境与生态系统治理协调机制和合作平台。探索建立大湾区生态环境与生态系统监测联盟，推进重点领域环境监测、生态保护、污染排放等标准统一，实现生态环境保护与生态系统治理的数据共享。

参考文献

曹志洪，周健民，2008. 中国土壤质量[M]. 北京：科学出版社.

陈辉，古琳，黎燕琼，等，2009. 成都市城市森林格局与热岛效应的关系[J]. 生态学报，29(9)：4865-4874.

陈同斌，黄启飞，高定，等，2003. 中国城市污泥的重金属含量及其变化趋势[J]. 环境科学学报，23(5)：561-569.

高瑶瑶，潘勇军，张华，2020. 石门国家森林公园空气颗粒物动态变化及评价[J]. 广东园林，42(03)：32-37.

金佳莉，王成，贾宝全，2020. 我国4个典型城市近30年绿色空间时空演变规律[J]. 林业科学，56(3)：61-72.

金琪，严婧，杨志彪，等，2015. 湖北春季大气负氧离子浓度分布特征及与环境因子的关系[J]. 气象科技，43(04)：728-733.

李巧云，李高飞，廖菊阳，等，2019. 湖南省森林植物园空气负氧离子浓度特征及影响要素研究[J]. 湖南林业科技，46(01)：18-23.

李睿华，管运涛，何苗，等，2006. 河岸混合植物带处理受污染河水中试研究[J]. 环境科学，27(4)：651-654.

李薇，黄峥，苏丹萍，等，2013. 深圳市城区主要园林植物的物候特征及其景观效应分析[J]. 亚热带植物科学，42(02)：131-136.

刘海轩，许丽娟，吴鞠，等，2019. 城市森林降温效应影响因素研究进展[J]. 林业科学，55(4)：147-154.

刘宏明，2017. 我国森林城市建设的对策分析[J]. 中国城市林业，15(6)：52-54.

刘育，夏北成，2006. 芦苇湿地不同生物量处理生活污水中三氮[J]. 环境科学与技术(4)：98-99.

鲁如坤，2000. 土壤农业化学分析方法[M]. 北京：中国农业科技出版社.

潘勇军，高瑶瑶，李智琦，等，2020. 广州市空气质量时空特征及新冠疫情的干预[J]. 中国城市林业，18(05)：1-6.

彭保发，石忆邵，王贺封，等，2013. 城市热岛效应的影响机理及其作用规律——

以上海市为例[J]. 地理学报,68(11):1461-1471.

彭少麟,周凯,叶有华,等,2005. 城市热岛效应研究进展[J]. 生态环境,15(4):574-579.

乔煜,熊咏梅,吴巧花,2018. 广州白云山大中型土壤动物群落结构与多样性[J]. 广东园林,40(05):17-20.

苏泳娴,黄光庆,陈修治,等,2010. 广州市城区公园对周边环境的降温效应[J]. 生态学报,30(18):4905-4918.

谭静,陈正洪,罗学荣,等,2017. 湖北省旅游景区大气负氧离子浓度分布特征以及气象条件的影响[J]. 长江流域资源与环境,26(02):314-323.

田璐,殷杉,刘子桐,等,2018. 利用超临界萃取技术测定植物叶片中多环芳烃含量的方法. ZL. 20181038 2343.7[P].

田璐,马英歌,谭皓新,等,2020. 超临界流体萃取技术应用于植物叶片中多环芳烃含量测定[J]. 环境化学,39(9).

佟富春,肖闻天,佟瑶,等,2019. 广州二沙岛宏城公园鸟类调查[J]. 福建林业科技,46(01):87-91.

王成,孙振凯,等,2019 城市生态系统定位观测指标体系:LY/T 2990—2018[S]. 北京,1-6.

王成,蔡宝军,等,2021. 北京平原森林建设对策研究与实践成效[M]. 北京:中国林业出版社.

王成,黄采艺,程红,等,2019. 国家森林城市评价指标:GB/T 37342—2019[S]. 北京,1-9.

王成,2016a. 关于中国森林城市群建设的探讨[J]. 中国城市林业,14(2):1-6.

王成,2016b. 中国城市生态环境共同体与城市森林建设策略[J]. 中国城市林业,14(1):1-7.

吴毓仪,骆燕华,熊咏梅,2020. 广州市城镇型绿道蝴蝶群落多样性研究[J]. 广东园林,42(04):33-36.

熊咏梅,冯毅敏,2016. 广州城市公园不同绿地植物群落配置模式的抑菌功能分析[J]. 广东园林,38(06):61-64.

熊咏梅,李智琦,高梓超,2019. 石门国家森林公园蝴蝶群落多样性研究[J]. 广东园林,41(05):32-36.

禹海群,李楠,林平义,等,2012. 深圳市常见园林植物滞尘效应初步研究[J]. 江苏林业科技,39(02):1-5.

张艳丽,2013. 杭州市典型城市森林类型生态保健功能研究[D]. 北京:中国林业科学研究院.

Calderón-Garciadueñas L, Kulesza R J, Doty, et al, 2015. Megacities air pollution problems: mexico city metropolitan area critical issues on the central nervous system pediatric impact[J]. Environmental Research, 137: 157 – 169.

Chen B, Lu S, Zhao Y, et al, 2016. Pollution remediation by urban forests: PM$_{2.5}$ reduction in Beijing, China[J]. Polish Journal of Environmental Studies, 25 (5): 1873-1881.

De Nicola F, Baldantoni D, Maisto G, et al, 2017. Heavy metal and polycyclic aromatic hydrocarbon concentrations in Quercus ilex L. leaves fit an a priori subdivision in site typologies based on human management[J]. Environmental Science and Pollution Research, 24 (13): 11911-11918.

Feyisa G L, Dons K, Meilby H, 2014. Efficiency of parks in mitigating urban heat island effect: an example from Addis Ababa[J]. Landscapeand Urban Planning, 123 (3): 87-95.

Froger C, Quantin C, Gasperi J, et al, 2019. Impact of urban pressure on the spatial and temporal dynamics of PAH fluxes in an urban tributary of the Seine River (France)[J]. Chemosphere, 219: 1002-1013.

Giardina M, Donateo A, Buffa P, et al, 2019. Atmospheric dry deposition processes of particles on urban and suburban surfaces: modelling and validation works[J]. Atmospheric Environment, 214: 116857.

Hobbie S E, Grimm N B, 2020. Nature-based approaches to managing climate change impacts in cities[J]. Philosophical Transactions of the Royal Society B: Biological Sciences, 375 (1794): 20190124.

Hofman J, Bartholomeus H, Janssen S, et al, 2016. Influence of tree crown characteristics on the local PM$_{10}$ distribution inside an urban street canyon in Antwerp (Belgium): a model and experimental approach[J]. Urban Forestry & Urban Greening, 20: 265-276.

Hofman J, Stokkaer I, Snauwaert L, et al, 2013. Spatial distribution assessment of particulate matter in an urban street canyon using biomagnetic leaf monitoring of tree crown deposited particles[J]. Environment Pollution, 183: 123-132.

Iijima, 2014. Recent Advances in the Application of Metabolomics to Studies of Biogenic Volatile Organic Compounds (BVOC) Produced by Plant[J]. Metabolites, 4 (3): 699-721.

Kong F H, Yin H W, James P, et al, 2014. Effects of spatial pattern of greenspace on urban cooling in a large metropolitan area of eastern China[J]. Landscape and Urban Planning, 128(8): 35-47.

Leonard R J, Mcarthur C, Hochuli D F, 2016. Particulate matter deposition on road-side plants and the importance of leaf trait combinations[J]. Urban Forestry & Urban Greening, 20: 249-253.

Ren Y, Qu Z, Du Y, et al. , 2017. Air quality and health effects of biogenic volatile organic compounds emissions from urban green spaces and the mitigation strategies[J]. Environment Pollution, 230: 849-861.

Samek L, Stegowski Z, Styszko K, et al, 2018. Seasonal contribution of assessed sources to submicron and fine particulate matter in a Central European urban area[J]. Environment Pollution, 241: 406-411.

Shi Y, Matsunaga T, Yamaguchi Y, et al, 2018. Long-term Trends and Spatial Patterns of Satellite-Retrieved PM$_{2.5}$ Concentrations in South and Southeast Asia from 1999 to 2014[J]. Science of the Total Environment, 615: 177-186.

Tian L, Yin S, Ma Y, et al, 2019. Impact factor assessment of the uptake and accumulation of polycyclic aromatic hydrocarbons by plant leaves: Morphological characteristics have the greatest impact [J]. Science of The Total Environment, 652: 1149-1155.

Tong S, Wong N H, Tan C L, et al, 2017. Impact of urban morphology on microclimate and thermal comfort in northern China[J]. Solar Energy, 155(15): 212-223.

Voliotis A, Samara C, 2018. Submicron particle number doses in the human respiratory tract: implications for urban traffic and background[J]. Environmental Science and Pollution Research, 25: 33724-33735.

Wang H B, Tian M, Li X H, 2015. Chemical composition and light extinction contribution of PM$_{2.5}$ in urban Beijing for a 1-year period[J]. Aerosol and Air Quality Research, 15: 2200-2211.

Yin S, Tan H, Hui N, et al, 2020. Polycyclic aromatic hydrocarbons in leaves of Cinnamomum camphora along the urban - rural gradient of a megacity: Distribution varies in concentration and potential toxicity[J]. Science of the total environment, 732: 139328.

Yin S, Tian L, Ma Y, et al, 2021. Sources and sinks evaluation of PAHs in leaves of Cinnamomum camphora in megacity: From the perspective of land-use types[J].

127

Journal of Cleaner Production, 279: 123444.

Yu H Y, Li T J, Liu Y, et al, 2019. Spatial distribution of polycyclic aromatic hydrocarbon contamination in urban soil of China[J]. Chemosphere, 230: 498-509.

Zhang J M, Yang L X, Ledoux F, et al, 2019. $PM_{2.5}$-bound polycyclic aromatic hydrocarbons (PAHs) and nitrated PAHs (NPAHs) in rural and suburban areas in Shandong and Henan Provinces during the 2016 Chinese New Year's holiday[J]. Environmental Pollution, 250: 782-791.

附　录

城市生态系统国家定位观测研究站名录

序号	生态站名称	技术依托单位	建设单位
1	上海城市森林生态系统国家定位观测研究站	上海交通大学	上海市林业总站
2	湖南长株潭城市群森林生态系统国家定位观测研究站	湖南省森林植物园、中南林业科技大学	湖南省森林植物园
3	宁夏银川城市森林生态系统国家定位观测研究站	宁夏林业研究院股份有限公司	宁夏林业研究院股份有限公司
4	江苏扬州城市森林生态系统国家定位观测研究站	江苏省林业科学研究院	江苏省林业科学研究院
5	广东深圳城市森林生态系统国家定位观测研究站	深圳市中国科学院仙湖植物园、广东省林业科学研究院	深圳市中国科学院仙湖植物园
6	广东珠江口城市群森林生态系统国家定位观测研究站	国际竹藤中心、国家林业和草原局城市森林研究中心	国际竹藤中心
7	新疆乌鲁木齐城市生态系统国家定位观测研究站	新疆农业大学	新疆维吾尔自治区林业生态监测总站
8	浙江杭州城市森林生态系统国家定位观测研究站	浙江省林业科学研究院	浙江省林业科学研究院
9	重庆山地型城市森林生态系统国家定位观测研究站	重庆市林业科学研究	重庆市林业科学研究
10	山西太原城市生态系统国家定位观测研究站	山西省林业科学研究院	山西省林业科学研究院
11	广东广州城市生态系统国家定位观测研究站	广州市林业和园林科学研究院	广州市林业和园林科学研究院
12	陕西西安城市生态系统国家定位观测研究站	西北大学	西安泾渭湿地自然保护区管理中心
13	河南郑州城市生态系统国家定位观测研究站	河南省林业科学研究院	河南省林业科学研究院
14	浙江温州城市生态系统国家定位观测研究站	温州科技职业学院	瑞安市红双林场

（续）

序号	生态站名称	技术依托单位	建设单位
15	江西南昌城市生态系统国家定位观测研究站	江西省林业科学院	江西省林业科学院
16	河北雄安新区城市森林生态系统定位观测研究站	北京林业大学	河北雄安新区规划研究中心
17	海南三亚城市生态系统定位观测研究站	国家林业和草原局调查规划设计院	国家林业和草原局调查规划设计院
18	安徽合肥城市生态系统定位观测研究站	安徽农业大学	安徽农业大学